つなぐ 世界史

1 古代・中世

責任編集
岡 美穂子

清水書院

はじめに

　太古の昔から，人は時を超え，海や山を越え，つながってきた。日本各地に連綿と伝わる伝統芸能や伝統産業は，この列島が遥か昔からユーラシアや南太平洋とつながってきたことを物語っている。

　「つなぐ」ことは，偶然であれ，人の思いや行為から始まる。自分の所にないものを求めて交易が始まり，その結果として地域がつながったり，結社などの形で思いを共有する人々が集団を形成して，大きな社会変化を促すうねりとなったりしたこともある。歴史とは様々な事象の相互結合によって生じた過去のことであり，いかなる現象も単独では存在しない。ここに今いる自分の存在さえも，様々な過去の出来事や出会いが互いにつながり，幾重にも積み重なった結果である。

　一般の人が最も長く歴史を学ぶのは，学校教育の課程であろう。とはいえ，歴史学習の時間は多くの生徒にとっては自分たちとは関係のないことを学ぶ，よそよそしいものになっている。どこの教室でも「歴史は暗記の強要」「自分の人生とは関係がないから，興味がない」といった言葉が聞かれる。それはひとえに，歴史の授業で学ぶ内容が，生徒たちの日々の生活とつながっておらず，現実感に乏しいためであると考える。

　おそらく後世には，この3年間（2020～2022）に起きたことは世界史の転換点であったと言われるようになるであろう。今，現実に世界で起きている重大な事象が，歴史的な背景や前例を持つものであると教えた教師がどれくらいいただろうか。たとえばロシアのウクライナ侵攻は，今はないソ連という国の成り立ちや第一次・第二次世界大戦との関わりを再考するのに絶好のチャンスであったし，COVID-19の流行とその影響を受けた世界の動きを，人類と感染症の戦いや20世紀前半のいわゆる「スペイン風邪」と関連づけて取り上げることもできたはずである。「充実した授業をしたくても，受験準備のカリキュラムをこなすので精一杯。入試に直結しないことに生徒は関心を持たない」などと言うのは，不可抗力を言い訳にした逃げの言葉でもある。

　大学入試のための学校教育。それを当たり前のように考えてきた結果が，2006年秋の世界史未履修問題であった。日本全国の学校で，必履修科目の世界史の授業を削って他の科目の補習時間に宛がっていたことが発覚したのである。それを契機に歴史学界や地理学界から歴史教育改革の声が上がり，日本と世界の近現代史を「つなぐ」科目として「歴史総合」が誕生した。その最大のコンセプトとして，高等学校学習指導要領にある最初の大項目「歴史の扉」には「私たちに関する諸

事象が，日本や日本周辺の地域及び世界の歴史とつながっていることを理解する」と掲げられた。子どもたちにとって馴染みのない言葉の羅列と化した歴史の授業を「自分事」として再認識させようという狙いが伝わってきた。

　2022年4月，「歴史総合」の授業が満を持して始まった。ところが，いざ始まってみると，教師は生徒たちが求める「受験のための学習」と軋轢が生じないよう苦慮を強いられることになった。その結果，授業の内容を以前のものから大きく変えることができず，受験者が多い日本の近現代史だけを教えてみたり，週2時間の内，日本史と世界史を別々に1時間ずつ教えてみたりと，その場しのぎの混乱が起きたとも聞く。その背景には，主体的に歴史を理解することを目的としていたはずの「つながり」を学習する意義が，十分に理解されていなかったことがあるのではないだろうか。指導要領の意を汲んで，日本史と世界史をつなげる工夫に努める教師も多く存在するはずである。そこで私は，日本よりもさらにミクロな世界，すなわち彼らが生きる「地域」につながる世界史を題材に選ぶことで，歴史をもっと「自分事」に感じられる機会を増やそうではないか，と提案してみたい。

　身の回りの地域と世界がつながっていることに私が気づかされたのは，2001年11月6日，山口県防府市郊外の公民館で開催されていた地域の文化祭で，戦前にアフガニスタンへ農業指導員として渡った，尾崎三雄という人が撮影した写真を見たことがきっかけだった。その年の9月11日に同時多発テロが起き，アフガニスタンが注目される中で，尾崎氏の遺族が遺品を公民館の文化祭へ出品したのだった。当時，私は山口大学の大学院に通学し，偶然から教育学部におられたイスラーム研究者の中田考氏の学生と知り合い，連れ立って公民館へ出かけた。私が尾崎三雄のことを，教え子を通じて一橋大学の加藤博氏に伝えると，日本中東学会の目に留まり，本格的な調査研究が始まった。その結果，5年後の2006年に，同学会が研究成果を公開することになり，その際，山口県内の高校生にも県内在住のムスリムや中東滞在経験者に聞き取り調査をして発表させることになった。徳山，下関南，山口，宇部の4校の生徒が自分の住んでいる地域で調査を行い，夏休みには，酒井啓子氏，臼杵陽氏，加藤博氏，三浦徹氏，鈴木均氏などの研究者が来山して，セミナーを実施した。全国初の高校生による中東・イスラーム世界の研究であったと言える。こうして迎えた秋の公開講演会では，日本中東学会会員の飯塚正人氏から「君たち高校生が行った聞き取り調査は，自分たち研究者も同様のことを行っている。違いがあるとすれば，その調査結果の解釈力の違いだけだ。」と，生徒たちの半年にわたる活動を賞賛していただいた。生徒は，「中東・

イスラーム世界は，自分たちが思っていた以上に多様であり，日本の生活様式だけがすべてではないことを知ることができた」と，日本の文化をも相対化する視点を持てたことを述べていた。尾崎三雄という人物の掘り起こしは，まさに一地方の埋もれてしまいそうな史実が，中東研究者に見出され，さらに高校生の研究にまで広がった出来事であった。

　日本の歴史が世界の歴史とつながっていたことは，言葉で説明すればある程度は理解できる。しかしながらそのつながりをさらに身近に感じるためには，やはり生徒自身が生きる地域と世界がつながる事例を体感できることに勝るものはない。

　本書の内容からは多岐にわたる日本の地域が古代から世界とつながっていたことが一目瞭然である。教科書でもよく知られた話を深掘りしたものもあれば，ほとんど一般には知られていない話もある。授業などでも補助教材として使いやすいように，総じてコンパクトかつ俯瞰的な視野から描かれている。

　本書で自然に「つながる」ことよりも「つなぐ」という視点を重視したのは，執筆を依頼した方々に，より主体的に何と何をつなげて歴史を紡ごうとしているのかを示していただくためであった。すでに歴史を「つなぐ」ことには優れた実績のある方々に依頼することにしたが，それでも原稿の依頼時には，次のような視点を各自意識していただくようお願いした。

　　1　地域をつなぐ
　　2　過去と現在をつなぐ
　　3　歴史への様々な「思い」をつなぐ
　　4　最新の研究成果と市民をつなぐ
　　5　次世代の未来につなぐ

　私たちの生きる現代世界が，どのようなつながりによって形成されてきたのかを，本書を通して感じていただければ嬉しく思う。私たち編集委員も執筆者も読者の皆様とのつながりを大切にして，過去と現在，現在と未来をつなぐ役割を本書によって果たしたい。

編集委員を代表して
藤村　泰夫

第1巻　序

　日本の歴史を語る際，教科書の中では「海外との通交はほとんど絶え，外から
の文化に頼らず自国内で文化や生産が発展した」と説明される時代がいくつかあ
る。近年の研究では，そのような特徴で説明される時代も，決して交流がゼロで
あったわけではなく，何らかの形で海外からモノや情報が持ち込まれていたこと
がクローズアップされるようになった。日本は島国だから，海を通ってしか，何
も入ってこない，というのは事実ではある。しかし海洋は基本的には開いており，
歴史上いかなる帝国も文明もその完全なコントロールに成功したものはない。江
戸幕府の「鎖国」政策は最もその成功に近づいた例であったが，それでも「通交
している方が自然」なマージナルな地域は，あえて閉じようとはしなかった。

　人間の生活を取り巻く環境は，様々な「分子」のようなもので構成される集合
体で，それは絶え間なく動き，一瞬のうちに姿を変えてしまう流動的なものである。
「時代が流れる」という表現は，時がただ過ぎゆくということではない。すべての
ものが動き，変化し，その結果として時代が変わっていくのである。そしてそれ
らの動きも変化も，見える人には見え，見えない人には見えない。見える人と見
えない人の差はどこから来るのであろうか。それは分析するための総合的な力の
基礎にある「知識」と「経験」の量の差から来ると私は考えている。学校で学ぶ
ことは，自分がこれから生きていく未来で必要な見える力，分析する力の重要な
基礎である。そしておそらく日本の未来は，グローバル社会の未来とこれまで以
上に強くリンクしていくであろう。それゆえに，どれほど人文系の勉強に意味が
ないと批判する世の中になっても，学校教育から「歴史」の勉強を取り去らない
で欲しい。人類の過去は基本的には失敗の連続である。そのような失敗の記憶を
学んでこそ，現在や未来に必要なものが理解できるからである。

　歴史研究では，一般的に「史料」と呼ばれる同時代の人が書いたものの中身を
分析することが基本作業である。しかしながら，これらの「史料」も「誰か」に
よって書かれたものである以上，そこに記述されることがらは，必ずしも客観的
真実として存在するのではなく，「解釈」の結果としてしか存在しないものである。
日本の歴史学研究では「史料」を唯一の歴史再構築の有効な手段とみなす「実証
主義」が圧倒的に優勢であるので，「そのソースは一方的な見方でしか書かれてい
ないかもしれないから，そこに書かれることは真実ではないかもしれない」とい
ったことはあまり考慮されない。しかし，私たちが置かれている現代社会の情報
の渦を少し観察しただけでも，事実ではないかもしれないマスコミの報道はあち

らこちらに溢れ，戦争をしている（していなくても）国の首脳部は「自分たちの正義」をいかに広めるか，相対的な評価をさせないか，自分たちに不利益な情報を耳に入れさせないかに腐心している。今我々が生きる時代を分析する後世の歴史家たちは，手に取る情報によって，また自分自身がどういう立場に置かれているかによって，まったく異なる歴史解釈をするだろう。だから歴史を学ぶ者もまた，誤った認識や判断をしてしまわないように，自分自身の感性を磨くしかない。自発的に学ぶ力が成長する青年期以前にその鍵を持つのは，やはり学校教育である。

　子どもたちの視野は思いのほか狭い。思春期の子どもを持つ母親の実感である。どんなに学校教育の中で早い段階からの外国語教育が推奨され，社会科の中で「グローバル」をテーマにした話題を学んでも，それは教科書の中のことだけである。授業が終わってしまえば，彼らの関心は，その日の生活を送る教室の中にしかない。そしてその教室の中はすべての子どもにとって安住の地ではない。ほぼ毎日戦いなのは，教師だけではない。子どもたちも自分の居場所を求めて戦っている。それでもなお，あえて言いたい。「きみたちの世界は外に向かって開かれている。今までもずっとそうで，これからもきっとそうだ。今きみたちが戦っている場所もまた永遠ではなく，大河の流れの一瞬にすぎない」と。

　本書の執筆には各国史の枠組みを超えた視野を持つ歴史研究者だけではなく，発掘現場で実際に「つながり」を体感できるモノを発掘し分析してきた考古学研究者，さらには自分が暮らす地域が，ある時期世界とつながっていたことをいち早く発見し，授業実践に生かしてきた高校教員が参加している。ともすれば，自分が生きるミクロな環境の中で限界を感じている人にはぜひ読んでいただきたい一冊である。世界は遠くまで行かなければたどり着けない場所にあるのではなく，すぐ傍にあるのだから。

岡　美穂子

目次

[凡 例]

● 年代は, 陰暦の月日を示したり, 史料の条文を示したりする場合を除き, 西暦を主体とし, 元号を（ ）で示しました。

● 漢字は, 史料の引用文も含め, 常用漢字を用いました。ただし, 常用漢字がその旧字体とは本来別字である場合や, 存命の方の人名, 現在も継承されている名跡などについてはその限りではありません。

● 用語は主に高等学校の歴史科目で用いられる表記に準じ, 全体を通して統一しました。ただし, 学問上の立場や観点の違いをふまえ, 統一しなかった場合もあります。

● 主な人名には生没年や在位年を示しました。

● 参考文献は, 執筆時に特に参照したもののほか, 一般読者が入手しやすいもの・読みやすいものを中心に挙げました。煩瑣を避けるため, 学説の典拠や文献を逐一示していませんが, 諸氏の研究成果に負うところは多く, その学恩に感謝申し上げます。

第1章

1世紀～2世紀の世界

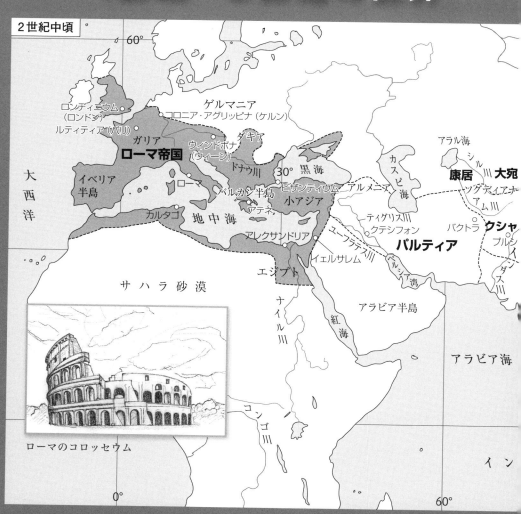

2世紀中頃

ロンディニウム（ロンドン）
ルティティア（パリ）
ゲルマニア
コロニア・アグリッピナ（ケルン）
ガリア
ウィンドボナ（ウィーン）
ローマ帝国
ダキア
イベリア半島
ドナウ川
30° 黒海
ローマ
バルカン半島
ビザンティウム
小アジア
アルメニア
カスピ海
アラル海
シル川 大宛
康居
ソグディアナ
カルタゴ
地中海
アテネ
アレクサンドリア
ユーフラテス川
ティグリス川
クテシフォン
バクトラ
アム川
ウシャ
大西洋
エジプト
イェルサレム
ペルシア湾
パルティア
インダス川
プルシ
サハラ砂漠
ナイル川
紅海
アラビア半島
アラビア海
コンゴ川
0°
60°
イン

ローマのコロッセウム

12

ラクダの隊商

秦・始皇帝の兵馬俑

鮮卑

モンゴル高原

烏孫

天山山脈

扶余

高句麗

敦煌

楽浪

○ホータン

黄河

朝鮮半島

辰韓

ーナ朝

チベット高原

羌氏

洛陽

倭

プラ

長安

馬韓

弁韓

ヒマラヤ山脈

長江

後漢

東シナ海

30°

ガンジス川

パータリプトラ

太平洋

メコン川

南シナ海

チャンパー

フィリピン諸島

扶南

マレー半島

カリマンタン島

0°

ド洋

ニューギニア島

ジャワ島

90°

120°

150°

アムール川

「古代帝国」の時代

思想が地域と地域をつなぐ

市川 裕

　西暦1世紀の世界は，すでに各地で成熟した文化が醸成され，どの地域の文化を見ても，その地域単独で形成されたものはほとんどなく，他の地域との交流の中で展開した。そんな世界に，西暦年号の起源となったナザレ人イエスが生まれ，キリスト教が誕生する。どんなつながりの中で，新たな宗教運動は展開することになったのだろう。ある研究によれば，中東の古代末期には，都市の商業経済が急速に勃興し，新たな宗教がその交易網に乗って広がり，顕著な社会的不正に立ち向かったという。これらの新宗教は個人の良心に語りかける性格を確立したが，ユダヤ教は新宗教の形成の母体となり，キリスト教は新宗教の形成の最大の貢献をしたとされる。もちろんこれは，前2〜後4世紀の全体的評価である。

枢軸時代という歴史観

　宗教思想のつながりを問うには，宗教的巨人たちが各地に出現しなければならない。幸い，ドイツの哲学者K.ヤスパースによる「枢軸時代」という概念がある。人類は，農業革命により定住，富の蓄積，都市建設を進め，精神革命の段階に至る。すると世界各地でほぼ同じ時代に，人類の教師と呼ぶべき人物が出現し教説が編纂された。中国の諸子百家，インドではウパニシャッド，釈迦，ジャイナ教，ペルシアのゾロアスター教，イスラエルの預言者，ギリシアの哲学者である。この後，人類は各地に宗教を基軸とする国家建設を行い，人類の高度な精神文化が築かれていくという。こうして来たるべき西暦1世紀とは，各地の大国家が平和裏に交流する体制が整った時代であり，そのとき思想を担った人々が縦横に移動し文化を刺激していくのだ。

ギリシア思想文化の東方展開

　「つなぐ世界史」の冒険の始まりをどこに置くかは悩ましい。しかし，バルカンとリビアを結ぶ線から東へインド手前まで広がる広大な世界を一撃で開拓したアレクサンドロス軍の勢いを最初の推進力として取り上げたい。ギリシア文化の真髄であるポリスが，ギリシア本土を超えてエジプトからインドまで広く建設され，

各地の住民はこの巨大な文化的構築物と向き合わざるを得なかった。ギリシアの勇敢で高潔な武装市民を育成する文化装置であるポリスは，独自の政治制度や，スポーツ競技と悲劇の上演を両輪とする神殿祭儀によって，土着の民を魅了したに違いない。アレクサンドロスの急死後に生まれた四つの帝国は，ギリシア文化との融和ばかりでなく，地元民からの反発や文化摩擦をも惹起したであろう。「ヘレニズム」というカタカナ語は，言葉の成り立ちから見れば「ギリシア主義」や「ギリシア教」である。文明の先輩であるメソポタミアやペルシアの人々がギリシア主義を全面的に受容したとは思えず，各地の伝統的な宗教文化の復興や軋轢（あつれき）が起こっても不思議ではない。その可能性を想起させるのがパレスチナのユダヤ人の反応である。

ユダヤ人の自己定義と移民

　セレウコス朝がイェルサレムを掠奪し神殿でディオニュソス礼拝を強要し，ユダヤ人の宗教的慣習を禁止した。抵抗した賢者の殉教を機に立ち上がったユダヤ人は，セレウコスから独立すると，それ以後の100年間，一貫して領土拡大を進め，イェルサレムを中心とした小さな属州は，ダビデ・ソロモンの王国に匹敵するまでに領地を拡大する。しかしその直後，前63年にポンペイウス将軍に率いられ東地中海征服を進めるローマ軍によりイェルサレムが陥落し，ローマによる直接支配の時代に向かう。ナザレのイエスの登場は，この政治的抑圧時代のユダヤであった。だが，ここで注目するのは，ユダヤで起きた社会変革である。ユダヤ人はヘレニズムの宗教的強制に遭遇して，父祖伝来の独自の神観念と法規範があることを自覚して，それを「ユダイズム」と概念化した。さらに，征服地の異教徒を「ユダヤ化」する「改宗」制度を確立し，ユダイズムを「宗教（レリジョン）」という概念の先駆形態に作り替えた。キリスト教は，その延長線上に展開するのだ。

　もう一つの特筆すべき事態は，ユダヤ移民の広がりである。ギリシア文化の代表都市であるエジプトのアレクサンドリアには，すでに前3世紀からユダヤ人居住区が生まれ，ヘブライ語聖典がギリシア語に翻訳された。これが『七十人訳ギリシア語聖書』であり，後にギリシア語を母語とするキリスト教徒がこれを旧約聖書として読み継いでいく。イエスが処刑された後，40年代前半に数年

図1　ティトゥスの凱旋門のレリーフ（ローマ，著者撮影）
イェルサレムを陥落させ，神殿から戦利品を持ち出すローマ軍が描かれている。

図2　イェルサレムの聖墳墓教会内，ゴルゴタの祭壇（Gk.Orth.）(中野晴生氏撮影)

間だけユダヤが王権を回復した期間があり，そのときの王がローマ皇帝へ送った書簡の中で，ユダヤ同胞の移民の広がりを誇っている。当時，ユダヤ人は海陸交易路を利用してエジプト，ユダヤ，フェニキア，シリア，アジア（今の小アジア），ヨーロッパ（今のギリシア）へ進出し，ユーフラテス川以東はバビロン捕囚以来のユダヤ共同体があるため，アレクサンドロスの遠征地域はすべてユダヤ移民が進出する舞台となった。新宗教のキリスト教が急速に進出できたのも，ヘレニズム世界のユダヤ会堂のネットワークの賜物といえるであろう。

西から見た「唐（から）・天竺」関係

　アレクサンドロス軍がインド社会に与えた衝撃は，その後のインドが，親子3代による堅固な国家を建設し，第3代アショーカ王が仏教を国是として平和と繁栄をもたらしたことによって知られよう。仏教とギリシア思想との出会いは，ギリシア人の王が仏僧と交わした「ミリンダ王の問い」に結実した。パルティア王国とバクトリア王国が国境を接する中で，大月氏（クシャーナ朝）と呼ばれた人々が仏教をインドから中国へもたらすことになるのだが，その素地ができたのは，ギリシアの思想と芸術がすでにペルシアを超えて東へ展開していたことによるのだ。

　中国に仏教が伝来するのは，公には後漢の西暦67年とされるが，敦煌（とんこう）出土の木簡から，西暦前2年に大月氏の使者から仏教経典を口授されたという『三国志』「魏書」（通称「魏志」）の伝承の信憑性が高まっているといわれる。これは，大月氏が中国との外交関係を結んで仏教を伝えたことを指しているが，なぜ外交関係に宗教が介在するのか。仏教思想が極めて価値ある商品だったということか。大月氏は訳経者を輩出し，ガンダーラ語から中国語に仏典を翻訳し，盛んに中国に伝えた。その拠点とされたのは，敦煌だ。前漢は西暦前111年に敦煌郡を設立し，西域諸国の使節を接待するために，敦煌に駅伝施設を設置した。そこから発見された木簡によって，当時，大月氏の使者や官僚，商人や流民が中国を往来したことが判明した。莫高窟（ばっこうくつ）が建設される366年より数百年前から，仏典がここを通過していたのだ。

　「仏教東漸」という概念があるが，「儒教西漸」はなぜ起きなかったのか。その後，

中国の漢字文明は朝鮮と日本とベトナムに輸出される。文明は，高きから低きへ流れるといえるのか。文物は異なる人同士が自分にないものを交換し，互いに価値あるものを得て互酬性があるといえるなら，中国思想も絹や壺のような高価な商品に匹敵するはずだが，そうならないのは，中国が高みに君臨するからなのか。西の国々は中国の思想に価値を置かなかったのか。そもそも中国人が対外交易を通した自国思想の普及を見落としたのであろうか。

古代ローマの西地中海征服

　文化の移動の一方向性の問題は，西でも見られる。アレクサンドロスは西を全く無視した。その西地中海地域全体に着目したのはローマだった。フェニキアとの競争に勝って征服を進め，カエサルのガリア遠征を経て，ローマ式都市の建設によって中世ヨーロッパ文明発展の基盤が作られていく。興味深いことに，ローマ帝国の東半分はギリシア，エジプト，シリア，ユダヤなどすでに独自の文化が形成されたのでローマの影響は及ばなかったのに比べて，ローマの直接的な影響が浸透した西半分は，「キウィタス」というローマの都市貴族文化を継承し，将来，ローマ法とキリスト教による中世西欧キリスト教ローマ帝国発展の素地を作った。西暦1世紀は，まだガリアとゲルマニアが文明に参加する端緒だが，領土内のローマ街道網は，軍隊の道としてのみならず，英国からユダヤ，エジプトまで数十日で通商が可能なほどに安定し，「ローマの平和」を現出することになった。

■　■　■

　西暦1世紀の世界はすでに各地域に大規模な国家が成立し，高度な精神文化が発展を遂げ，それらが国境を越えて相互に影響を与えるまでに成熟していた。キリスト教はまだ生まれたばかりだが，その後に世界を席巻する文化的素地──広域展開したヘレニズム，ユダイズム，ローマの平和──がすでに重層的に準備されていた。もはや，各地が単独で存立できる時代ではなく，互いの存在が不可欠の要素となったつながりの世界だった。

■参考文献
『岩波講座世界歴史03　ローマ帝国と西アジア─前3〜7世紀─』岩波書店，2021
小島毅『世界史リブレット068　東アジアの儒教と礼』山川出版社，2004
澤田昭夫編『ヨーロッパ論II　ヨーロッパとは何か』放送大学教育振興会，1993
バーキー，J.(野元晋，太田絵里奈訳)『イスラームの形成─宗教的アイデンティティーと権威の変遷─』慶應義塾大学出版会，2013
芳賀京子・芳賀満『西洋美術の歴史1　古代　ギリシアとローマ，美の曙光』中央公論新社，2017

縄文文化

岡田 康博

　縄文文化は，稲作農耕文化以前の狩猟・採集文化であり，自然に大きく依存し，環境の変化に左右された不安定な生活で，原始的で未開・未発達というイメージが強かった。しかし，特別史跡三内丸山遺跡（青森市）など各地の縄文遺跡の発掘調査や研究が進み，縄文文化は狩猟採集を基盤としながらも定住が開始，発展するとともに豊かな精神文化を持っていたことが明らかになってきた。各地の博物館等で開催された縄文関連の展示会には多くの人々が集まり，市民の興味関心も高まっており，2021 年 7 月には「北海道・北東北の縄文遺跡群」が世界文化遺産に登録された。

縄文時代の開始

　地球規模での急激な気候温暖化とともに寒冷だった旧石器時代は終わり，新たに縄文時代が始まった。縄文時代は約 1 万 5000 年前に始まり，日本列島で灌漑を伴う本格的な稲作農耕が始まる約 2400 年前まで続いた狩猟採集文化の時代であり，この時代の文化を縄文文化と呼ぶ。

　ただし，日本列島に稲作農耕が到来したのは北部九州で，縄文時代晩期後半と考えられている。その後稲作農耕が本州北端まで到達するのに数百年かかっていることが確実となり，稲作農耕の開始（この場合，灌漑施設を伴う）は地域によって違いがあり，一律な時代区分が適当かどうか考える必要がある。なお，稲作農耕文化は津軽海峡を越えることはなく，北海道では縄文的な続縄文文化が成立することになる。

　地球規模での温暖化により，海水面は約 140m 上昇し，対馬海峡や日本海ができ，日本列島は大陸から切り離された。さらに縄文時代前半は温暖な環境のもと海水面の上昇が続いた（縄文海進）。日本海側では対馬海流，

太平洋側では黒潮が北上する一方，千島海流や親潮が南下し，交差することによって豊かな水産資源に恵まれた。海進によって海が内陸へ入り込み，入り江や内湾が数多くでき，汽水域も形成された。植生も針葉樹林から落葉広葉樹林へと大きく変化し，クリ・クルミ・ミズナラなどの堅果類や山菜など森の恵みが豊富になった。

　また，北海道・北東北ではブナを中心とした生物多様性に富んだ森林が海岸線まで広がり，まさしくそこが人々の生活の中心となっていった。大型動物の狩猟機会は減少し，新たに海や森の豊かな資源を利用する機会が増え，生活が大きく変化した。

　なお，縄文の名称の由来は，E. S. モース（1838〜1925）により発掘調査が行われた東京都大田区・品川区に所在する大森貝塚の発掘調査報告書の中で，縄目の模様がついた土器を「cord marked pottery」と表し，その訳を植物学者の白井光太郎（1863〜1932）が「縄紋土器」としたことによる。

　狩猟採集や漁労を基盤として定住化が進み，集落が出現し，集落や地域社会を支える祭祀や儀礼なども活発に行われた。クリの栽培管理など集落の内外には里山のような人為的な生態系が成立していた。ウルシやアスファルトなど新たな資源利用の技術も開発され，土偶など精神性の高さを示す，列島独自の要素も出現した。

　縄文時代は1万年以上もの長きにわたって継続し，本格的な農耕や牧畜を伴わず定住が開始，発展，成熟した世界的に希有な文化の時代である。さらに日本の歴史の大半を占め，現代の生活や文化の基礎となったことから，日本文化の基層が形成された時代との認識もある。

　縄文時代の大陸側の様相は，長江下流域では常緑照葉樹林を背景にすでに稲作農耕文化が，黄河流域では常緑照葉樹林や落葉広葉樹林を背景に雑穀農耕文化が成立した。北東アジアの中国東北部では落葉広葉樹林を，ロシアの沿海州地域では落葉・針葉樹林を背景にそれぞれ狩猟採集文化が成立したことが知られているものの，狩猟採集文化は長くは続かず，アワやキビなどの雑穀栽培に移行したことが最近の発掘調査で明らかになっている。

図1　日本最古級の土器（大平山元遺跡） JOMON
ARCHIVES（外ヶ浜町教育委員会蔵，田中義道氏撮影）

土器の出現と定住の開始

　縄文時代の開始とともに新たな文化的要素として土器が出現した。移動
に適さない土器の出現は定住の開始を宣言したものと言える。その縄文時
代の幕開けを告げる「最古級の土器」が史跡大平山元遺跡（青森県外ヶ浜町）
から出土し，放射性炭素を利用した高精度年代測定が行われ，約1万5000
年前のものと推定されている。土器片の内外面に炭化物の付着や火熱を受
けた痕がはっきりと残されていたことから，最古の土器は煮沸や煮炊きと
いう，明確な目的を持って作られたと考えられる。土器の登場によって生
活は大きく変化し，「煮る」ことによって，例えば動物の硬い腱や筋が柔ら
かくなったり，木の実や山菜などの灰汁抜き処理も可能となったりして，
利用できる自然の恵みの範囲が格段に広がった。土器は食生活の安定をも
たらし，定住を大いに促進させた。また，土器は粘土という，身の回りに
ある手に入れやすい材料を使い，思いのままに大きさや形，模様をつける
ことができた。このことは人間の創造する喜びを満足させるとともに，や
がて土器づくりの流儀といった地域的な特徴を出現させ，共通の土器が分
布する地域文化圏の成立につながるものと考えられる。

図2　大型板状土偶（三内丸
山遺跡）　JOMON ARCHIVES
（三内丸山遺跡センター蔵）

日本列島の縄文文化と東北の縄文文化

　縄文時代の日本列島は，地理的・自然的環境の違いなどを背景に，いく
つかの地域文化圏が成立していたと最近では考えられている。この地域文
化圏では同じ形や文様の土器が使われ，共通の祭祀や儀礼が行われていた
ことから世界観・価値観を共有する圏域と考えられている。狩猟採集を基
盤とし，土器を使用するという点では同じであっても，集落の構造や精神
文化には違いがあり，列島全体に均一な文化が広がっていたわけではない。
地域文化圏の集合が縄文文化であるといった理解も最近ではされている。
東北においても北海道・北東北では津軽海峡を挟みながらも一貫して地域
文化圏が成立していた。その背景として，生物多様性に富んだ北方ブナ帯
の森林が人々の生活域である海岸近くまで広がり，さらに寒流と暖流が交
差する海洋が三方を囲み，森林資源・水産資源ともに恵まれた環境にあっ
たことが大きな要因となったと考えられる。土器とともに出現した石鏃は
俊敏な動きをする中小型動物の狩猟のための道具であり，環境に適応する
ための石器や漁具の開発も進んだ。
　縄文海進が進む中，北海道や東北では生活の拠点となる集落形成が一気
に進んだ。特に墓地の出現は土地との結びつきや執着を示すものである。

集落の中には他に貯蔵施設や祭祀・儀礼の空間も設置されるようになった。また，地域を代表する拠点集落も出現するようになり，地域社会の成熟も進み，定住も大きく進展することとなった。精神文化の発達も顕著であり，大規模な構造物である盛土や環状列石，周堤墓，共同墓地なども造られた。これらでは祭祀や儀礼が恒常的に行われ，集団や社会の結束を一層強めることになった。構築や維持管理が世代を超えて継承されていることは，祭祀や儀礼が日々の生活の中で定着していることであり，きわめて重要である。人間を表現した土偶もこの地域で数多く出土し，他の祭祀・儀礼に使用された道具類も多様であり，複雑な精神文化がすでに形成されていたことは明らかである。

各地との交流・交易

地域文化圏が成立していながらも他地域との交流・交易を示す出土品がみられるのも縄文文化の特徴である。特に津軽海峡沿岸地域からも多数出土しており，当然ながら人間の活動に伴ってもたらされたものに，ヒスイや黒曜石などがある。

ヒスイは硬度6.5〜7.0と硬く，色は半透明の青〜緑色に輝く。昭和14年には新潟県糸魚川市の姫川の支流，小滝川でヒスイの原産地が確認された。藁科哲男氏（元京都大学原子炉実験所）によると，縄文遺跡から出土したヒスイ製品の原産地は糸魚川周辺であるという。遺跡から出土するヒスイ製品が最も多いのは原産地周辺であるが，次に多いのは遠く離れた津軽海峡に面した地域である。中間の新潟，山形，秋田の各県の遺跡からの出土点数よりも多く，しかも大型の優品が多い。このことはヒスイが一気に津軽海峡に面した地域へ運ばれた可能性が高いことを示している。

図3　ヒスイ製大珠（三内丸山遺跡）　JOMON ARCHIVES（三内丸山遺跡センター蔵）

黒曜石は，光沢のある天然のガラス質の岩石で，割れた際に鋭利な破片が得られやすく，石器の材料として古くから利用されてきた。北海道は良質の黒曜石の原産地があることで知られ，十勝，白滝，置戸，豊泉の各地の黒曜石が北日本各地の遺跡から出土している。石槍やナイフなど大型品が多い特徴がある。一方，新潟県佐渡産，長野県霧ヶ峰産，和田峠産のものは小型の石鏃がほとんどである。これらは完成品として，原産地またはその周辺地域から運ばれたものと思われる。他に接着剤として利用されたアスファルトも秋田県の日本海沿岸地域から各地へもたらされていた。

図4　長野県霧ヶ峰産黒曜石（三内丸山遺跡）　JOMON ARCHIVES（三内丸山遺跡センター蔵，田中義道氏撮影）

　縄文文化は狩猟採集の時代であり，自然とともに生きた人々の歴史や文化そのものである。北東アジアを含めた周辺地域に比べて，狩猟採集文化が1万年以上続いたことは，未開でも停滞でもなく，日本列島の豊かな自然を背景にそれらの資源の利用技術が進むとともに，日々の生活を支えた精神文化もまた豊かであったことを示唆している。

■参考文献
岡田康博「縄文遺跡群の顕著な普遍的価値」『世界遺産になった！　縄文遺跡』，同成社，2021
小林達雄「縄文の世界」『世界遺産　縄文遺跡』同成社，2010
中澤寛将「北東アジアから見た縄文遺跡群」『文化遺産の世界』40号，国際航業，2022
根岸洋『縄文と世界遺産』筑摩書房，2022

弥生時代の交流結節点・原の辻遺跡

古澤 義久

西日本各地と交流した壱岐島の中心遺跡

　釜山から南東約50kmに対馬島，そして対馬島から南東約50kmに壱岐島がある。さらに壱岐島から南に約25km進むと呼子に至る。このような地理的な環境により壱岐島は古くから大陸と九州を結ぶ役割を果たしてきた。邪馬台国までの道のりを記した『三国志』「魏書」東夷伝倭人条（「魏志倭人伝」）には，「一支国（一大国）」として壱岐島についての記述がみられる。記事には「南北から米穀を買い入れている」とあり，古くより壱岐島では交易が行われていたことが推測される。一支国の主邑（中心となる集落）は，弥生時代前期後葉から古墳時代前期にかけて栄えた原の辻遺跡である。

　原の辻遺跡は深江田原と呼ばれる広い平野に南北方向にのびる舌状台地を中心に立地する。丘陵部には住居跡などが分布し，居住域であった。そして丘陵裾部には環濠がめぐる居住域を取り囲んでいた。その外側の平地部には田畑などの生産のための空間が広がっていたとみられる。

　交流に関連する遺構として弥生時代中期の船着き場跡がある。船着き場は，幡鉾川に注ぐ支流中に島状をなし，2条の突堤が築かれている。人頭大の石を積んで，護岸機能を持たせている。突堤では基礎に木材を敷き，木材を石で押さえて土を盛り，側面には杭を打ち込んで樹皮状の繊維で覆って横崩れを防ぐ「敷粗朶工法」と呼ばれる土木技術が用いられている。この石積みによる護岸工事や「敷粗朶工法」は大陸系の技術であり，当時の最先端の技術が導入されたものとみられる。この原の辻遺跡では薩摩，肥後，豊後，豊前，防長，山陽，山陰，畿内と関係する土器が出土しており西日本各地のさまざまな地域との関係を持っていたことがわかる。

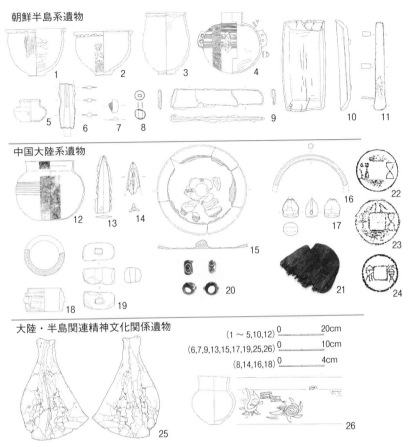

朝鮮半島系遺物

中国大陸系遺物

大陸・半島関連精神文化関係遺物

(1〜5,10,12) 0 ──── 20cm
(6,7,9,13,15,17,19,25,26) 0 ──── 10cm
(8,14,16,18) 0 ──── 4cm

1 円形粘土帯土器，2 擬粘土帯土器，3 三角形粘土帯土器，4 三韓系瓦質土器，
5 陶質土器，6 細形銅剣，7 多紐細文鏡，8 天河石製臼玉，9 鉄鎌，10 木製槽，11 棒状鉄斧，
12 楽浪系土器，13 戦国式銅剣，14 三翼鏃，15 長宜子孫内行花文鏡，16 円環形銅釧，17 青銅製権，
18 ミニチュア車馬具，19 鉄槌，20 トンボ玉，21 木製櫛，22 五銖銭，23 大泉五十，24 貨泉，
25 卜骨，26 龍線刻土器

図1　原の辻遺跡出土大陸・半島系遺物

多彩な朝鮮半島・中国大陸との交流

●弥生時代前期末〜中期

　弥生時代前期末〜中期はおおむね朝鮮半島南部の初期鉄器時代に該当す

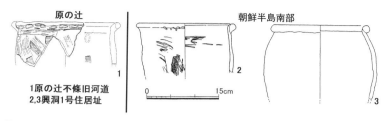

原の辻　　　　　　　　　　　朝鮮半島南部

1原の辻不條旧河道
2,3興洞1号住居址

0　　　　　　　　15cm

図2　原の辻遺跡出土折衷土器および韓国・興洞遺跡出土関連資料

る。初期鉄器時代には粘土帯土器と呼ばれる口縁部に粘土紐が折り返され
た土器が用いられる。原の辻遺跡で出土した粘土帯土器には甕（かめ）、牛角式把
手附長胴壺（てつきちょうどうこ）、長胴壺（たかつき）、高坏、蓋、（黒色）磨研長頸壺（ちょうけいこ）、小壺、小型土器な
どがみられ、器種が比較的よく揃っている（図1-1、2）。このように生活に
必要な土器に加え、祭祀色も強い土器が出土することから、一定期間の粘
土帯土器人の滞在が考えられる。船着き場の近くの低地部に粘土帯土器が
多く出土することから、渡来人の拠点があったものと考えられる。船着き
場自体でも粘土帯土器や朝鮮半島製鋳造鉄斧が出土している。

　粘土帯土器を模倣して製作されたり、弥生土器に粘土帯土器の技法が取
り入れられた折衷土器も多く出土している（図1-2）。原の辻遺跡（図2-1）
と朝鮮半島南部（図2-2）の遺跡の両者で同様の折衷土器が出土することが
あるので、対馬海峡を往来する集団が存在したことが窺われる。

　粘土帯土器文化に属する人が原の辻に来た理由の一つに交易を挙げるこ
とができる。居住域のある丘陵より南に位置する石田大原地区では弥生時
代前期後葉以降、甕棺墓（かめかんぼ）などが営まれているが、ここでは戦国式銅剣（図
1-13）、トンボ玉（図1-20）、細形銅剣（図1-6）、多鈕細文鏡（たちゅうさいもんきょう）（図1-7）、天
河石製臼玉（がせき・うすだま）（図1-8）・勾玉（まがたま）などの渡来文物が出土している。

　また、交易だけではなく移住も想定される。原の辻出土擬粘土帯土器の
中には、視覚により模倣可能な要素ではなく、粘土帯土器の流儀・癖を示
す弥生土器を模倣した土器がみられる。図3-2の土器は外見は弥生土器（図
3-1）を目指しているが、土器の表面をハケメという技法で調整してから口
縁部をつける技法は朝鮮半島粘土帯土器（図3-3）と共通する。このような
土器は、もともと粘土帯土器製作の流儀を身につけていた人物により、弥

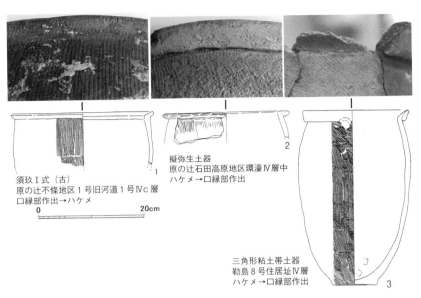

図3　弥生土器と朝鮮半島粘土帯土器の作り方と折衷土器

生土器を意識して製作したものである可能性が高い。先・原史時代の土器製作は多くの場合女性によってなされたと考えられている。そのため女性を含む集団が渡来したとすると，その目的としては移住が考えられる。九州本島では，朝鮮半島系土器が墓地で利用される例がみられるが，原の辻では朝鮮半島系土器が利用された墓地は確認されていない。そのため移住の主たる目的地は原の辻ではなく，原の辻は朝鮮半島から日本列島へ移住する際の中継拠点として利用されたものとみることができる。

　交流は移住と交易に留まらず，弥生人の精神文化にも及んでおり，弥生時代中期後葉の住居跡から卜骨が発見されており（図1-25），大陸由来の卜占が既に，受容されていたことがわかる。

●弥生時代後期

　紀元前108年に前漢の武帝（在位前141〜前87）により，朝鮮半島西北部に楽浪郡が設置されると，漢の文化を伝える橋頭堡の役割を果たすようになる。このころ朝鮮半島南部では馬韓・弁韓・辰韓といった三韓諸国が

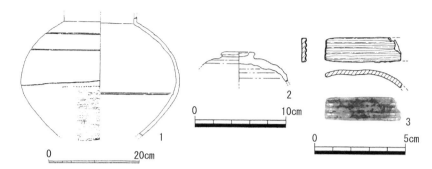

図4　原の辻遺跡出土遼東系遺物

成立する。原の辻遺跡では楽浪系土器と三韓系土器の双方が搬入されるようになる。原の辻遺跡内で，楽浪系土器（図1-12）と三韓系土器（図1-4）の出土はやや分布が異なるため，楽浪系の集団と三韓系の集団がそれぞれ別個に渡来したものとみられる。近年の研究により，楽浪郡の西隣にあたる遼東郡などの土器が出土していることが明らかとなった（図4-1，2）。また遼東郡に居住していた非漢民族が使用していた銅釧（腕輪）も確認されていることから（図4-3），楽浪郡以遠の地域との交流も想定される。

　弥生時代後期以降では，墓地だけではなく，丘陵部や丘陵付近の低地部でも渡来文物が出土することが多くなる。特に低地部を中心に，土器集中部や環濠，溝などの遺物集中部で，ミニチュア車馬具（図1-18），銅釧（図1-16），銅指環，木製櫛（図1-21）などの漢系文物が出土しており，交易によって得られたものとみられる。五銖銭1点（図1-22）のほか大泉五十1点（図1-23），貨泉14点（図1-24），総計16点の中国貨幣が出土しているが，西側低地部に多く分布している。西側低地部では三韓系土器よりも楽浪系土器の出土が多いため，中国貨幣の搬入に際し，楽浪人が関与したものとみられる。

　また，交易の対価として利用されたものでは鉄が注目される。『三国志』「魏書」東夷伝弁辰条には「〔弁辰の〕国々では鉄を産出する。韓・濊・倭がみな鉄を取っている。どの市場の売買でもみな鉄を用いていて，中国で銭を用いているのと同じである。そしてまた〔鉄を楽浪・帯方〕二郡にも供給

している。」とあり，これと関連する遺物で朝鮮半島南部で製作された規格化された棒状鉄斧が原の辻遺跡でも出土している（図1-11）。

　精神文化面で注目されるのは弥生時代後期中頃〜後葉に属する龍線刻土器である（図1-26）。この土器は伏龍と昇龍が描かれ，その中間には雷文が描かれる。許慎『説文解字』（永元12〔紀元100〕年）には「龍は春分に天に登り，秋分に淵に潜む動物である」と記述されている。土器に描かれた龍は昇龍と伏龍によってその生態が表現され，雷文が，天に昇る際の雷鳴表現であると解される。この土器自体は弥生土器であるため弥生人の製作によるものであることは間違いないが，実際に生態を観察することのできない，大陸人の想像上の動物である龍の生態を弥生人は把握した上で正確に描いていることは，大陸・半島との交流が思想面，精神文化にまで深く及ぶものであったことを示している。

原の辻遺跡での交流

　以上のように原の辻遺跡と東アジア世界との交流をみると弥生時代中期の移住と交易を中心とした交流から，弥生時代後期の交易や外交を中心とした交流に遷移していることがわかる。これは北部九州地域における国の発展と関係しているものと思われる。

　外来系の遺物が出土すると「交流」があったと語られる。しかし，一口に「交流」と言ってもその実態は，移住，交易，外交など多岐にわたる。原の辻遺跡は西日本各地と朝鮮半島・中国大陸をつなぐ交流の結節点であったことは間違いない。しかし，本項で示したようにそのつながり方は，時期や対象となる地域によって異なることが遺物や遺構の観察から類推できる。かつての人々が玄界灘の波濤を乗り越えて原の辻に到達したように，私たちも「交流」や「つながり」といった漠然とした概念を乗り越え，その実態に到達できるよう研究を進めていきたいと思う。

■参考文献
川道寛・古澤義久編『原の辻遺跡　総集編II』長崎県埋蔵文化財センター調査報告書第18集，2016
福田一志・中尾篤志編『原の辻遺跡　総集編I』原の辻遺跡調査事務所調査報告書第30集，2005
松見裕二『海の王都・原の辻遺跡と壱岐の至宝』壱岐市教育委員会，2015
宮﨑貴夫『原の辻遺跡　壱岐に甦る弥生の海の王都』日本の遺跡32，同成社，2008

時空を超える『楚辞』

矢田 尚子

端午節と屈原

　日本では関西を中心に，５月５日の端午の節句に粽を食べる風習がある。これは中国から伝わったもので，南朝梁の呉均『続斉諧記』に「戦国時代（前403〜前221）の楚の屈原は，５月５日に汨羅（湖南省長沙市にある淵）に身を投げて死んだ。楚の人々は哀れに思い，毎年その日がくるたびに，竹筒に米を詰め，汨羅に投げ入れて祭った」と，その由来が記されている。東アジア各地には，端午節に粽を作って食べるほか，龍舟競漕をおこなう風習もある。南朝梁の宗懍『荊楚歳時記』につけられた隋の杜公瞻の注によれば，その風習もまた，汨羅に身を投げた屈原を救おうと，漁師たちが舟を出したことに始まるという。

図1　日本の和菓子店で売られている粽（著者撮影）

図2　湖南省汨羅市の屈子（屈原）**祠**（著者撮影）

『史記』屈原伝と『楚辞』離騒

　端午節と深いつながりを持つ上記の屈原という人物は，中国古代の韻文
文学ジャンル「楚辞」を創始した詩人として知られる。前漢の司馬遷『史記』
には，次のような屈原伝がある。

　　戦国時代中期，屈原は宰相として楚の懐王に仕え，内政外交に活躍
　　していたが，それを妬んだ上官大夫の讒言（ざんげん）に遭い，王に疎まれて追放
　　された。彼が失意の中で作ったのが「離騒（り そう）」という楚辞作品である。
　　楚は秦の策略にのせられて斉との同盟関係を断ち切り，懐王は末子の
　　子蘭に勧められて秦に赴いた結果,捕らえられて客死した。懐王の死後,
　　長男の頃襄（けいじょう）王が即位し，子蘭は宰相となった。屈原は，懐王の死を招
　　いた子蘭を憎み，頃襄王の悔悟を願いながら，中央復帰を持ち続けて
　　いたが，屈原が自分を憎んでいると伝え聞いた子蘭の讒言により，江
　　南に流罪となった。屈原は汨羅に身を投げて死に，その数十年後，楚
　　は秦に滅ぼされた。

「楚辞」は本来，楚で生まれた文学ジャンルを指す語であったが，後には
楚辞作品を集めた書物としての『楚辞』，あるいはそこに収められた作品を

図3　屈子墓（汨羅市，著者撮影）

指すようになった。現行の書物としての『楚辞』は，戦国時代から後漢（25
〜 220）にかけて作られたという 17 篇の楚辞作品「離騒」「九歌（きゅうか）」「天問（てんもん）」
「九章（きゅうしょう）」「遠遊（えんゆう）」「卜居（ぼくきょ）」「漁父（ぎょほ）」「九弁（きゅうべん）」「招魂（しょうこん）」「大招（だいしょう）」「惜誓（せきせい）」「招隠士（しょういんし）」
「七諫（しちかん）」「哀時命（あいじめい）」「九懐（きゅうかい）」「九歎（きゅうたん）」「九思（きゅうし）」に，後漢の王逸が注をつけた注釈
書『楚辞章句』に基づいている。

　『楚辞』の代表作品である「離騒」は，主人公の霊均という人物が一人称
で語る形式の長編叙事詩である。前半には，たぐいまれな素質と才覚を持
つ霊均が，讒言によって主君に疎まれた不運を嘆きつつ，自らの正しさを
訴える様子が描かれる。後半には，霊均が龍や鳳凰に牽かせた車に乗って
天界へと旅立ち，月の御者や風の神，雲や虹を引き連れて遊行する幻想的
な場面がうたわれる。霊均は，神話伝説に登場する女性たちに次々と求婚
するものの，いずれも失敗に終わる。そこで再び天に昇っていくが，途中
でふと懐かしい故郷を見下ろしたところ，隊列は先に進まなくなる，とい
うところで作品は終わる。

　司馬遷は屈原伝の中で「屈原は正しい道を真っ直ぐに歩み，忠義と智恵
を尽くして主君に仕えたが，讒言によって主君と引き離され，行き詰まった。
真心を尽くして君主に仕えながら疑われ，誹謗を受けたのだから，怨まず

にいられようか。彼が「離騒」を作ったのは，怨みの気持ちからであろう」と私見を述べる。主人公霊均を屈原とみなし，「離騒」は彼の怨みによる作品だとするのである。しかしながら，屈原という人物のことは『史記』より古い史料には見えない。おそらく司馬遷は，汨羅で水死した屈原という人物の伝説を楚地域で耳にし，「離騒」などの楚辞作品を素材として，屈原伝を書いたのだと考えられる。そして，宮刑の辱めに遭った「怨み」を原動力に『史記』を執筆する自身の経験と重ね合わせ，「離騒」を屈原の「怨み」から生まれた文学ととらえたのであろう。

■ 解釈の変容——『楚辞章句』と『楚辞集注』

　司馬遷が記した屈原伝は，その後の楚辞解釈に大きな影響を与え，楚辞作品はすべて屈原の不遇と関連付けて読まれるようになった。王逸は『楚辞章句』の「離騒」後序で「屈原は忠義に基づいて行動しながらも讒言に遭ったために憂い悲しみ，『詩経』の詩人たちに倣って「離騒」を作った。主君を諷諫（ふうかん）（遠回しにいさめること）し，また自らを慰めようとしたのである。しかし，乱世の中で意見が聞き入れられないため，憤懣（ふんまん）やるかたなく，さらに「九歌」以下数篇の楚辞作品を作った」と述べる。

　「『詩経』の詩人たちに倣って主君を諷諫する」というのは，漢代の経学に基づく思考である。当時，詩歌の主たる役割は，政治に対する「美刺（賛美と諷刺）」だと考えられていたのである。『楚辞』は，中国詩歌文学の源流として，しばしば『詩経』と並称される。『詩経』が黄河中下流域の中原地域で生まれたのに対し，『楚辞』は長江中流域の楚地域で生まれたことから，現代では，北方の中原文化の文学と南方の楚文化の文学として，両者を対照的にとらえることが多い。しかし，詩歌に政治的効用を求める近代以前の経学的思考の下では，地域や詩型を異にするとはいえ，いずれも「美刺」を目的とする点で両者は同類だととらえられていたのである。

　王逸によれば，「離騒」の主人公霊均が求婚する女性たちは，屈原と同じ志を持つ賢臣を，月の御者は清白の臣を，雲や虹は小人物を指しており，屈原はそのようにうたうことで，佞臣（ねいしん）を側に置く懐王を諷諫しようとした，というのである。

南宋の朱熹（1130〜1200）は，このように一句一語ごとに付された短絡的な王逸注に異を唱え，句の前後のつながりや場面ごとのまとまりを重視して新たに『楚辞集注』を著し，作品全体に込められた屈原の本意を明らかにしようとした。天界への遊行や女性たちへの求婚は，賢君を求める屈原の心情を寓意したものであり，月の御者や風の神，雲や虹などは，隊列の威厳を表すための修辞に過ぎない，と朱熹はいう。そして，屈原が「怨み」によって楚辞作品を作ったという司馬遷の見解を否定し，作品に込められているのは屈原の「忠君愛国」の情であるとした。

朱熹は晩年に，地方官から皇帝寧宗の政治顧問に昇進したが，外戚の韓侂冑の専横を批判したため，讒訴されて職を追われ，彼の学問は「偽学」として排斥された（慶元党禁）。『楚辞集注』が著されたのは，その「慶元党禁」の後，朱熹最晩年の頃であった。彼が注釈内で屈原の「忠君愛国」を強調したことには，屈原伝に見える屈原の不遇に彼自身の不遇を重ね合わせ，弾圧を受けても主君や国への忠愛は不変であるという思いを表出する意味があったのであろう。

▌解釈の継承——『楚辞集注』と『楚辞師説』

朱熹の学問である朱子学は，彼の没後，門人たちの活躍によって名誉を回復し，元代（1279〜1367）には，その経書解釈が科挙の基準とされるようになった。そして，朱子学が江戸時代（1603〜1867）の初期に日本に伝わって普及すると，それに付随して『楚辞』もまた朱熹の『楚辞集注』を通して日本の儒学者たちに読まれるようになった。

浅見絅斎（1652〜1711）の『楚辞師説』は，『楚辞集注』に基づく絅斎の講義を門人が記録したものである。絅斎は「『楚辞』という書物は，忠の吟味を眼目としている。詩型は異なっていても，込められた情は，『詩経』に劣らず切実である。朱子の注を読む際には，そのことを念頭に置くべきである」と述べ，「忠」を『楚辞』の主題とみなす。門人が記した『楚辞師説』解題には「朱子の時代には，屈原の時代と同様に奸臣が権力を握り，朱子の学問は偽学として弾圧され，主君との関係も絶たれた。そこで朱子は，この書に彼の思いを込めて注解を試みた。注釈の端々に忠君愛国の情が現

れているのはそのためである」とあり，朱熹が自身と屈原の境遇を重ね合わせて「忠君愛国」の思いを『楚辞集注』に込めたとする。

　綱斎は，山崎闇斎（1619〜1682）の高弟であったが，師の神道説に反対したために破門され，生涯仕官することなく，門人たちの教育に尽力した人物である。『楚辞師説』解題は上記の文に続けて「綱斎は尊皇の大志を抱いていたが，やはり不遇であった。そこで『楚辞集注』の講義に託して忠君愛国の思いを述べたのである」という。綱斎もまた，自身の境遇を屈原・朱熹に重ね合わせて『楚辞集注』の講義をおこなったことになる。

　以上のように楚辞作品は，解釈する者たちの思いをのせ，時空を超えて読み継がれてきたのである。

■参考文献
浅見絅斎『先哲遺著 漢籍国字解全書 第17巻　楚辞』早稲田大学出版部，1917
小南一郎『楚辞とその注釈者たち』朋友書店，2003
小南一郎訳注『楚辞』岩波書店，2021
矢田尚子『楚辞「離騒」を読む：悲劇の忠臣・屈原の人物像をめぐって』東北大学出版会，2018

乾燥世界における人びとの暮らしとシルクロード

粟屋 祐作

■ユーラシアを結ぶ

　1964年，ローマ近郊のグロッタロッサで，8歳の少女のミイラが発見された。1〜2世紀のローマ人とされる彼女は，絹の衣服，サファイアの首飾りを身に着け，ギリシア神話の一場面が彫刻された石棺に埋葬されていた。絹は中国，サファイアはインドを代表する高級品である。遺体のミイラ化は死後の世界や再生を信じるエジプトの風習である。

　グロッタロッサの少女は，1〜2世紀に，ユーラシア各地を結ぶ交易路が存在していたことを示唆している。中国，インド，ギリシア，ローマ，そしてアフリカのエジプト，これらの地域を結ぶ交流ネットワークこそが，シルクロードに他ならない。

　森安孝夫氏が提唱するように，シルクロードとは，東西の「線」ではなく，ユーラシアを東西南北に結ぶ「面」としてのネットワークである。アレクサンドロス大王やモンゴル帝国は，輸送や軍事，情報収集にこのネットワークを活用することで，中央ユーラシアの覇者となった。シルクロードは，交易路の枠組みを超え，ネットワークの及ぶ範囲を「シルクロード世界」として内包する，地域的な概念としても捉えることができる。

　シルクロード交易において，中央ユーラシアに広がる乾燥世界は，「通過点」と考えられがちである。厳しい気候は，旅人に数多（あまた）の試練を与え，各地の交流を妨げる障害のように感じられるかもしれない。しかしながら，シルクロードとは，乾燥という厳しい自然環境と，それに適応するために試行錯誤を重ねた人間の努力が生み出した，文化的景観に他ならない。

　なぜ，荒涼としたユーラシアの乾燥世界が，古くから世界史のダイナミ

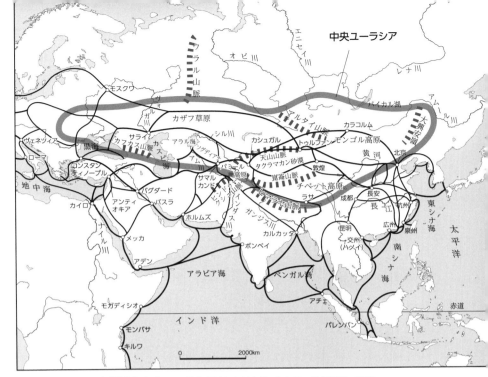

図1　シルクロード世界と中央ユーラシア（森安孝夫『シルクロード世界史』参考）

ズムを創出する舞台となりえたのか。シルクロードを理解するためには，
人間と自然という二つの要素を，両輪として考えることが必要である。

中央ユーラシアの自然環境

　航空写真でユーラシア大陸を鳥瞰してみると，中心に広漠とした土色の
大地を確認することができる。この世界が中央ユーラシアであり，いわゆ
るシルクロードの主要な舞台である。中央ユーラシアとは，歴史的・文化
的な地域概念であり，その範囲を地理的に限定することは困難であるが，
おおよそ，次のように理解することができる。すなわち，東西は大興安嶺
東部の平原からハンガリー平原まで，南北はチベット高原からシベリア南
辺の草原地帯まで及ぶ，草原と砂漠，山脈と高原を特徴とする地域である。
海洋から大きく離れており，雨を含んだ雲が届きにくいため，乾燥帯の気
候が基本となる。アジアとヨーロッパを含む広大な地域は，まさに「ユー
ラシア」の中心である。

　この乾燥世界は，北緯45〜55度にかけて東西に広がる草原地帯と，北

37

緯40度付近に展開される砂漠地帯によって形成される。両者は，天山山脈とシル河を結ぶラインにより，大きく南北に分けて考えることができる。乾燥を基調とするこの地域では，大規模な農耕が困難であり，主な生業は，牧畜（遊牧）と小規模な農耕，そして，その延長に成立した交易であった。

乾燥が運んだ文化

　乾燥世界に生きる人びとは，過酷な環境に適応するために，移動と流動性に富んだ生活様式を生み出した。それが草原地帯における遊牧であり，砂漠地帯におけるオアシス農耕であった。

　中央ユーラシアの草原地帯の大部分は，比較的冷涼で降水量も少なく，定住して農耕を行うことが難しい。牛や羊，馬など，草本植物を摂食する有蹄類が生息するこの地では，古くから家畜が基本財産となり，人びとは遊牧によって生活を維持した。遊牧とは，季節に応じて家畜とともに牧草地を移動する牧畜の一形態である。遊牧民の生活を支えた馬の家畜化は，牛や羊に遅れ，前4000年紀に始まったとされる。食用として馬を家畜化しはじめた人類は，やがて馬に直接乗ることを試みるようになった。騎馬技術の登場は，古代の交通革命と軍事革命を引き起こし，世界史を躍動させる原動力となった。

　騎馬の起源は定かではないが，前1000年前後，馬を自在に操る騎馬遊

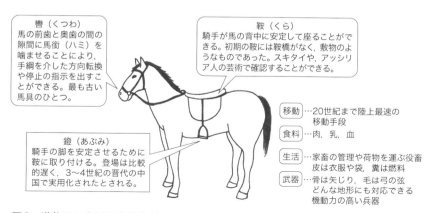

轡（くつわ）
馬の前歯と奥歯の間の隙間に馬銜（ハミ）を噛ませることにより，手綱を介した方向転換や停止の指示を出すことができる。最も古い馬具のひとつ。

鞍（くら）
騎手が馬の背中に安定して座ることができる。初期の鞍には鞍橋がなく，敷物のようなものであった。スキタイや，アッシリア人の芸術で確認することができる。

鐙（あぶみ）
騎手の脚を安定させるために鞍に取り付ける。登場は比較的遅く，3〜4世紀の晋代の中国で実用化されたとされる。

移動…20世紀まで陸上最速の移動手段

食料…肉，乳，血

生活…家畜の管理や荷物を運ぶ役畜　皮は衣服や袋，糞は燃料

武器…骨は矢じり，毛は弓の弦　どんな地形にも対応できる機動力の高い兵器

図2　遊牧民の生活を支えた馬

牧民が，ユーラシアの草原地帯に出現した。馬具の開発が未発達であった当時，騎馬は高度な熟練を要する技術であった。騎馬技術を集団的に体得していた彼らは，機動力と軍事力の両面で，卓越した存在であった。騎馬遊牧民は，草原を疾駆し，定住農耕文明にも大きな影響を及ぼした。前8世紀，黒海北岸一帯に登場したスキタイや，前3世紀にモンゴル高原で台頭した匈奴は，世界史に影響を与えた最初の騎馬遊牧民である。

　砂漠地帯は，草原地帯よりもさらに降水量が少なく，年間降水量が100mmを下回る地域も珍しくない。この地に住む人びとは，高山の雪解け水や地下水を灌漑し，水を得ようと試みた。今でも砂漠の各地に，カレーズやカナート，坎児井などと呼ばれる地下水路を確認することができる。砂漠に穿たれた竪坑の道は，人間が，厳しい自然に立ち向かうために生み出した，知恵と技巧の極致である。こうして生まれた可耕地をめぐって家や畑が建ち並び，人びとが定住することができる環境が作られた。これがオアシスである。砂漠には，海に浮かぶ孤島のように，数多くのオアシスが点在した。

　乾燥世界で成立した遊牧やオアシス農耕では，多くの物資を獲得することはできない。この世界では，点在するオアシス都市同士，あるいは農耕世界と遊牧世界の結びつきが，必要不可決であった。

　遊牧は，生計の一切を家畜に頼っており，農業生産物や必需品の自給自足が困難である。平時には，遊牧民は交易によって穀物や，織物・金属器

図3（下）　カレーズの構造図
図4（右）　上空から見たイランのカナート（カレーズ）
／©Georg Gerster/Panos Pictures

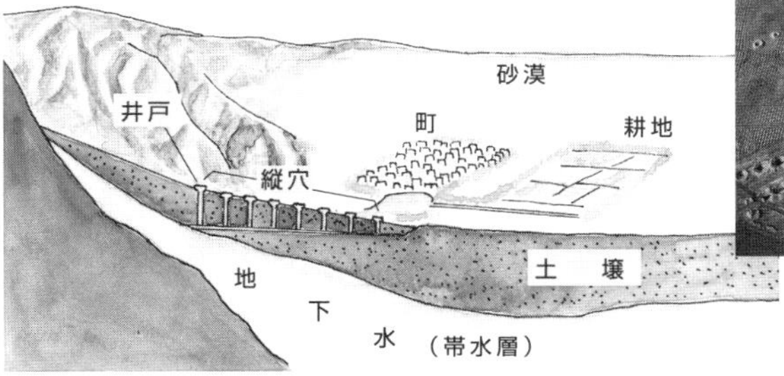

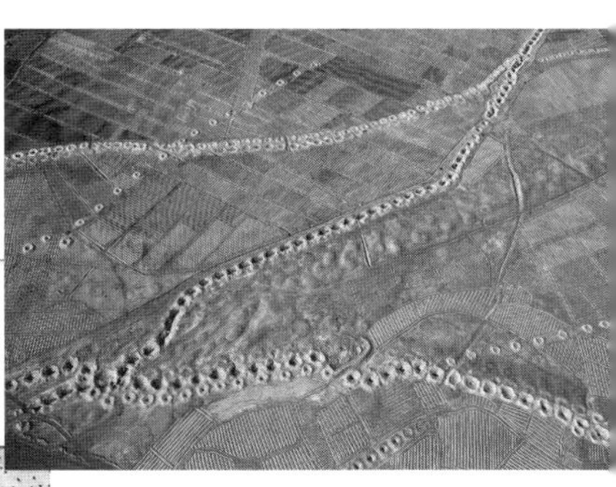

39

などの日用品を，農耕社会から獲得した。災害や疫病に見舞われた非常時には，彼らは家畜や人間を対象に，農耕社会への略奪を行った。

　一方，オアシスにおいても，生活必需品である毛・皮・肉・乳製品などの畜産物は，遊牧民に頼る必要があった。また，水不足を常態とするオアシスでは家畜を飼育することはおろか，農耕の拡大そのものに限度がある。必然的に，オアシス内では商人や手工業者など，農耕以外に従事する者たちが発生した。近隣のオアシスや草原の遊牧民を相手に，食料などの必需品が隊商によって小規模的にやり取りされるようになると，オアシスにとって交易は重要な生活基盤となった。また，余剰人口の増加により取引の範囲が拡大されると，奢侈品のやり取りも行われるようになった。高級品の取引はより多くの利益を生み，遠隔地から運ばれる奢侈品の中継が，隊商交易の主体となっていった。奢侈品貿易を本質とするシルクロード交易では，ソグド商人のような，オアシスを拠点に砂漠を往来した中央ユーラシアの農耕民が，重要な役割を果たしたのである。

　また，遊牧民の存在も，隊商交易には欠かせなかった。隊商交易には，砂漠の過酷な気候，家畜の斃死，略奪や戦禍など，常に危険とリスクが伴った。卓越した軍事力を持った遊牧国家が登場し，砂漠に点在するオアシス都市群を取り込むことで，保護された安全な商圏が出現し，交易をより活発にした。遊牧民の軍事力と，オアシス民の経済力による相互補完的な関係が成立し，ユーラシアを東西南北につなぐシルクロードが形成された。

シルクロードの繁栄

　現在，シルクロードという用語には，遊牧民が生活する草原ベルトを通る「草原の道」，中央ユーラシアの砂漠を通る「オアシスの道」，海路である「海の道」の三つが含まれている。中央ユーラシアは，いわゆる陸のシルクロードである，オアシスの道と草原の道の舞台であり，前近代ユーラシアにおける交流ネットワークの拠点として，重要な役割を担った。

　「ソグド人の土地」を意味し，ユーラシアの中心に位置するソグディアナには，パミール高原の雪解け水を灌漑し，多くのオアシスが密集していた。サマルカンドはその中心地であり，数十万の人口をもつ都市であった。街

は城壁で囲まれ，市街には日干しレンガの家が立ち並んだ。農村部では小麦やきびなどの穀類，ぶどうやメロンなどの果樹が栽培され，良馬の産地としても知られていた。機織技術が特にすぐれており，日中のバザール（市場）は，この上ない賑わいを見せた。世界中の交易品とともに，鍛冶屋や陶工，大工などの職人が集まり，近隣のオアシスや草原からは多くの人が往来した。「人びとが出会う場所」の名のとおり，サマルカンドはシルクロードの心臓部として繁栄を謳歌した。

　シルクロードが最初の繁栄を迎えた1〜2世紀は，中国に漢帝国，インドにクシャーナ朝，イランにパルティア，地中海にローマ帝国が並立しており，各地で政治が比較的安定した時代であった。中央ユーラシアは，地理的にこれらの中心に位置している。絹や金，毛皮や絨毯などの交易品，情報や言語，宗教や学問などが，この地を通り，ときには現地の影響を受けて変容しながら世界中に広がった。古代帝国の経済的・文化的交流は，ユーラシアの乾燥世界に支えられていたのである。そして，それを担ったのは，オアシスの商人や草原の遊牧民である。彼らの知識や技術が広大な交流ネットワークを形成し，中央ユーラシアの乾燥世界は，古代帝国を結ぶ大動脈として，古代世界にグローバル化をもたらしたのである。

　シルクロードの繁栄は，漢やローマ帝国の盛衰によってのみ語られるべきではない。シルクロード世界の要衝であった中央ユーラシアの乾燥世界が，独自の文化を形成しながら，人や交易品，文物の交流を積極的に支えていたのである。そして，その大動脈は，乾燥という自然環境と，そこで生活する人間の関係によって生み出された，文化的景観なのである。

■参考文献
川又正智『漢代以前のシルクロード—運ばれた馬とラピスラズリー』雄山閣, 2006
林俊雄『興亡の世界史　スキタイと匈奴　遊牧の文明』講談社学術文庫, 2017
松田壽男『シルク・ロード紀行』岩波現代文庫, 2006
森安孝夫『興亡の世界史　シルクロードと唐帝国』講談社学術文庫, 2016
森安孝夫『シルクロード世界史』講談社選書メチエ, 2020

ローマ帝国

藤井 崇

ギリシアの消滅？

　高等学校の世界史教科書では，古代ギリシア史は突然の終幕を迎える。クレタ文明とミケーネ文明から説き起こされる古代のギリシア人の歴史は，都市（ポリス）の形成とペルシア戦争を経てアテネ民主政の完成で頂点を極め，その後，アテネとスパルタが対峙したペロポネソス戦争（前431〜前404）以後は衰退（あるいは変容）のフェーズに入ったとされている。マケドニア王国の台頭とアレクサンドロス大王の遠征は，かろうじてギリシア人の歴史の一部として書かれているが，プトレマイオス朝エジプトがオクタウィアヌス（のちの初代ローマ皇帝アウグストゥス）に敗れたアクティウムの海戦（前31）によって，古代ギリシア史はビザンツ帝国に割かれたわずかのページを除き，ほぼ完全に教科書から姿を消してしまう。もちろん，

図1　アテネのアクロポリス（著者撮影）

紙幅制限のきわめて厳しい教科書に，ギリシア人の歴史の完全な記述を求めることはできない。しかし，いうまでもなく，ギリシア人の歴史はアクティウムの海戦を超えて続いた。

　たとえば，古代ギリシア人の文化のなかでも特にわたしたちになじみ深い，オリュンピア競技祭（オリンピック）をみてみよう。古代ギリシア人は，ペロポネソス半島北西部のエリス地方にあったゼウス聖域で，4年に一度，ポリスの枠組みを超えたオリュンピア競技祭をおこなった。エリスを含むバルカン半島南部は，前2世紀以降にローマ帝国の版図に組み入れられるが，オリュンピア競技祭はその後も，おそらく393年の第293回大会まで開催され続けたと考えられている。1994年にオリュンピア遺跡で発見された青銅板からは，4世紀後半のオリュンピア競技祭で，レスリング，パンクラティオン（ボクシングやレスリングなどを融合した総合格闘技），各種の競走といった伝統的な種目がおこなわれ，そこにバルカン半島南部や小アジアの都市出身者が参加したことが判明している。もちろん，前776年の第1回大会から，オリュンピア競技祭は不変だったわけではない。ローマ帝政期のオリュンピア競技祭では，参加選手のプロ化と組合化が進展したとされている。古代ギリシア人の歴史を古代ローマ人の歴史とつなげるにあたっては，この例が典型的に示すように，継続と変化の両面に注目することが重要である。

ローマ帝国に生きたギリシア人

　バルカン半島南部・小アジア西部のギリシア人が，ローマ帝国と本格的に対峙するようになったのは，前3世紀の後半である。当時のローマの国政は，伝統的な貴族であるパトリキと平民のプレブスのうちの富裕者から構成されるノビレス貴族を中心とする元老院と，受動的な立場ながらも，開戦・和平や立法に際して投票をおこなう民会が主要な役割を担う共和政だった。しかし前3世紀以降に，ローマはイタリア半島を超えた地域にたいする軍事的，政治的，経済的影響力を強めていったため，現代の研究者の多くは，皇帝を持たないこの時期のローマをすでに「ローマ帝国」とよびならわしている。

東地中海地域のヘレニズム王国，連邦，都市は，前3世紀後半から前1世紀おわりまでのおおよそ200年の間に，共和政期のローマ帝国の支配下に入り，いくつかの属州に編成された。こうした属州のうち，帝国の穀物供給の要だったエジプト，帝政期にも文化的中心地として機能し続けたアテネが位置するアカイア，エフェソスやペルガモンを中心に数多くの都市が栄えたアシア（小アジア西部）などは，ローマ帝国の経済的，文化的繁栄の屋台骨となった。東地中海地域のギリシア語圏の属州には，帝国中央から総督が派遣された。また，共和政期後期以降，この地域には多数のローマ市民権植民市が形成され，ラテン語とイタリア半島の都市制度が多くの移民とともに持ち込まれた。一方，古典期（前5世紀から前4世紀）とヘレニズム期（前3世紀から前1世紀）に拡大したギリシア人都市は，その多くが存続した。こうした都市では，ヘレニズム期中期以降に富裕者を中心とする貴族政的傾向が強まったが，民会と参事会を基礎とする政治制度がおおむね継続し，都市を主導する名望家層は活発な政治，経済，宗教活動をおこなった。

■ ローマ帝国を東からみる

　ローマ帝国に生きたギリシア人の大きな特徴の一つは，彼らが残した文献，刻文，パピルスといったさまざまな媒体の文字史料が，大量に残されていることである。このようなギリシア語史料は，おもにローマ帝国の東半に居住したギリシア人が帝国をどのように理解していたのかを知るうえで，とりわけ貴重なものである。

　たとえば，ヘレニズム期最大の歴史家ポリュビオスは，前3世紀後半から前2世紀なかばにかけてのローマの世界帝国への飛躍を描いた『歴史』のなかで，ペリパトス学派の影響を強く受けたローマ国政論を展開している。そこでは，ローマ共和政の政治システムが，君主政的要素である執政官，貴族政的要素である元老院，民主政的要素である民会が組み合わされた混合政体であると称賛され，ローマが世界支配を成し遂げた原動力の一つとみなされている。このポリュビオスの混合政体論の妥当性については，現代の研究者の間でさまざまな議論があるが，ともかくもローマ帝国興隆期

図2 ポリュビオス（著者撮影）

のギリシア人は，彼ら自身の国政論の蓄積を利用しながら，ローマという
国家のあり方を理解しようとしたのである。

　古代ギリシア人といえば，ホメロスの叙事詩や古典期の悲劇作品を通じ
て語られる神話や伝説が印象深いが，ヘレニズム期・帝政期のギリシア人は，
自身の濃密な物語世界のなかにローマ帝国を位置づけることも試みた。た
とえば，前2世紀はじめにローマ帝国の影響力が東地中海地域に拡大した
時期，セレウコス朝シリアのアンティオコス3世の攻勢を前にした小アジ
アの都市ランプサコスの使節団は，トロイア戦争のトロイア側の英雄アエ
ネアスの子孫がローマを建国したという伝説を根拠に，トロイアの地に位
置するランプサコスとローマとが縁戚関係にあると主張して，ローマに対
アンティオコスのための援助を求めている。国家（都市）間の関係を血統で
説明するというギリシア人の神話（あるいは歴史）認識は，帝政期にも存続
した。アエネアスが女神アフロディテの子とされていることを根拠に，ア
フロディテを守護神とする都市——たとえば小アジアのアフロディシアス
——は，自身の都市とローマ帝国ならびに皇帝家との特権的な結びつきを
強調している。また，同じく古くからアフロディテ崇拝をおこなったキプ

図3　アフロディシアスの皇帝崇拝神殿(著者撮影)

ロスは，アウグストゥスとアフロディテの血統のつながりを背景に，皇帝を神とみなす，いわゆる皇帝崇拝を推進した。ローマ帝国をギリシア世界との縁戚関係から理解する手法が，ギリシア人の歴史叙述にも適用された。アウグストゥス期に活躍したハリカルナッソスのディオニュシオスは，すでに最初期のローマがギリシア人の血を引く共同体だったと主張している。

都市の市民から帝国の市民へ

　こうした事例からは，ローマ帝国を生きたギリシア人が，自身の伝統的な政治理論，神話，伝説的縁戚関係を用いて，帝国をみずからの世界につなげようとしたことが読み取れる。ただ，いうまでもなくローマ帝国には，ギリシア人の思考の枠組みを超える要素が多数存在した。たとえば，ローマのアウグストゥス霊廟の前に設置された『神君アウグストゥスの業績録』のギリシア語版からは，レス・プブリカ（国家）やインペリウム（命令権）といったラテン語による国家ローマの重要な政治概念の翻訳が，一筋縄にはいかなかったことがうかがえる。帝政期にはイタリア半島を超えて属州の名望家層にも与えられるようになったローマ市民権のあり方も，ギリシア人を混乱させた。無尽蔵の人的資源と民族の違いを超えた帝国形成を可

能にしたローマ市民権は，血統主義的な市民権概念をおおむね維持したギリシア人にとって，当初は理解の難しいものだったのである。こうした困難を前にして，ローマ市民権を与えられた帝政期のギリシア人名望家層は，みずからの都市での活動をローマ帝国への貢献に読みかえていった。五賢帝時代のギリシア人弁論家だったアエリウス・アリステイデスは，有名な「ローマ頌詞」のなかで，各地の名望家層が帝国の市民として統治を担っているという自負を表明している。アリステイデスのこうした帝国理解のなかでは，伝統的な都市の運営と新しい帝国への貢献が結びつけられていたのである。

■参考文献

『岩波講座世界歴史3　ローマ帝国と西アジア―前3〜7世紀―』岩波書店, 2021
ケリー, クリストファー（藤井崇訳, 南川高志解説）『1冊でわかるローマ帝国』岩波書店, 2010
桜井万里子・橋場弦編『古代オリンピック』岩波書店, 2004
藤縄謙三編『ギリシア文化の遺産』南窓社, 1993
南川高志編『歴史の転換期1　B.C. 220年：帝国と世界史の誕生』山川出版社, 2018

4世紀〜6世紀の世界

5世紀後半

スラヴ諸族

フランク王国
ブルグンド
フン
東ゴート
ラヴェンナ
ローマ
ドナウ川
30°
黒海
コンスタンティノープル
カスピ海
アラル海
シル川
アム川
バクトラ
エ

西ゴート王国
オドアケルの国
東ローマ帝国
ティグリス川
アンティオキア
ケテシフォン
ササン朝
ペルシア
インダス川

大西洋

カルタゴ
地中海
ヴァンダル王国

アレクサンドリア
イェルサレム
ユーフラテス川
ペルシア湾
ホルムズ

サハラ砂漠

395年
ローマ帝国が東西に分裂
476年
西ローマ帝国滅亡

ニジェール川

ナイル川

紅海

アラビア
半島

60°

アラビア海

0°

コンゴ川

イ

⬭ エフタルの最大勢力範囲（5世紀）
⌒ 突厥の最大勢力範囲（6世紀）
■ ユスティニアヌス帝時代（527〜565）
　 の東ローマ帝国の領域

ゲルマン人

箸墓古墳

タル

グプタ朝

パータリプトラ

ガンジス川

ヒマラヤ山脈

チベット高原

敦煌

柔然

北魏

平城

黄河

洛陽

長江

南郡

宋

建康

メコン川

扶南 チャンパー

マレー半島

南シナ海

アムール川

高句麗

平壌

新羅

百済

伽耶

倭

東シナ海

589年
隋が中国統一

フィリピン諸島

太平洋

60°

30°

0°

カリマン
タン島

ニューギニア島

ジャワ島

ド 洋

90°

120°

150°

巨大古墳と東アジア

桃﨑 祐輔

古墳時代の始まりと魏・西晋との交渉

　弥生時代には，北部九州の奴国・伊都国が外交や貿易を独占したが，2世紀末〜3世紀初めに邪馬台国連合が成立して主導権を奪った。初期の王陵とみられる奈良県桜井市ホケノ山古墳では，木材で組み立てられた木槨に木棺を納め，画文帯神獣鏡を副葬していた。平壌に勢力を誇った楽浪郡太守，公孫氏から，木槨を導入し，画文帯神獣鏡を授けられたと考えられる。これに対し，箸墓古墳（278m）は卑弥呼の墓とする説がある最古の大規模古墳で，同時期の奈良県黒塚古墳（130m），京都府椿井大塚山古墳（175m）では，三角縁神獣鏡30面以上，鉄製の小札冑・甲などが出土した。三角縁神獣鏡は，後漢・魏・西晋の首都であった洛陽で実物が発見され，また小札革綴冑・甲と同じ部品の甲冑は魏の曹操（220年没）墓でも出土しており，卑弥呼・壱与らに魏・西晋王朝が授けたと考えられる。さらに群馬県赤城塚古墳の三角縁神獣鏡には，ガンダーラ仏が表現されている。ここで想起されるのは，229年に魏に遣使した大月氏王波調（クシャーナ朝6代ヴァースデーヴァ王）が「親魏大月氏王」の称号を与えられたことである。魏の外交・通商関係を通じて東西の文明が交差したともいえる。

ヤマト政権と朝鮮半島の鉄資源

　八王の乱（290〜306）・永嘉の乱（304以前〜316）で西晋が滅ぶと，楽浪郡・帯方郡も滅亡（313）し，日中交渉が断絶する「謎の4世紀」が到来した。献上品の数十倍の宝物が下賜される朝貢貿易に頼っていた初期ヤマト政権は動揺した。考古学的には興味深いこととして，その時期，日本国内では特徴的な巨大な王の墳墓が登場し始めた。4世紀中頃の奈良県天理市渋谷向山古墳（景行天皇陵）は全長300mに達し，同時期の桜井市メスリ山古墳（250m）では，大量の鉄製武器が出土した。これはヤマト政権の鉄独占を物語る。
　やがて王陵は奈良盆地北部の佐紀・盾列古墳群へと移動し，中国鏡にかわり，国産の大型仿製鏡（中国鏡を模倣して製作された鏡）が国産の水銀朱や碧玉製腕

飾，鉄製甲冑とセットで配布された（この頃ヤマト政権の主流を形成したと考えられている，佐紀を出自とする王権を佐紀王権という）。「記紀」には景行・垂仁朝には，ヤマトタケルらによる地方平定・服属の記事が増える。イズモでも弥生時代以来の四隅突出形墳丘墓の築造が停止し，前方後円墳や前方後方墳に変化するため，イズモのヤマト政権への服属が窺える。島根や石川の碧玉，新潟のヒスイ，茨城のメノウ，三重の辰砂などの鉱物は，勾玉・管玉や朱に加工され，輸出もされたことから，ヤマト政権が資源や交易ルートを奪うため，地方平定を進めたと推定される。その一方，辺境にも大規模な前方後円墳が築かれ，東北・北海道の続縄文文化と毛皮や皮革・矢羽根，南西諸島や沖縄の南島貝塚文化集団と南海産貝類が交易された。

　また，3世紀に朝鮮半島との交易の場だった福岡市西新町遺跡は4世紀中頃に廃絶し，かわって宗像沖ノ島祭祀遺跡で大型仿製鏡や鉄素材，石製腕輪などの威信財を捧げる国家的祭祀が開始された。ヤマト政権が対外交渉ルートを制限し，韓国の金海・釜山周辺の金官伽耶から，対馬北端を経て，沖ノ島祭祀遺跡を経由し，宗像沿岸に至る最短ルートに一本化し，鉄の独占を図ったと考えられる。4世紀代には丹後半島に200m級前方後円墳が3基も集中し，兵庫県出石町袴狭遺跡では，16隻の大型船を刻んだ板が見つかった。日本海ルートでは，船団が組織され，鉄が交易されたと推定される。その次の段階に，海外派兵が開始された。奈良県石上神宮の七支刀は，倭と百済の軍事同盟を物語る。『日本書紀』によれば，百済は倭国に谷那鉄山（忠清北道忠州市）の鉄を鉄鋌（インゴット）として提供する見返りに，援軍を求めた。忠州市弾琴台土城では，鉄鋌40本が出土した。

　朝鮮半島に派兵された首長たちは，佐紀王権の利益独占に反発を強め，奈良南部の葛城氏の主導のもと，王権を奪取，河内王権を擁立した。4世紀末〜5世紀初頭の奈良県御所市室宮山古墳（武内宿禰・葛城襲津彦の墓と伝える）は268mもあり，伽耶製の船形土器が出土した。同時期の王陵である大阪府津堂城山古墳（208m）より大きい。

騎馬民族征服王朝説と古墳時代

　5世紀に入ると，大阪平野に200〜400m級の超巨大古墳が集中して築造されるようになった（百舌鳥・古市古墳群）。そこには，中国南朝に遣使した「倭の五王」の陵墓も含まれると考えられる。

　江上波夫氏の「騎馬民族征服王朝説」（江上波夫『騎馬民族国家』）では，前期古墳が呪術的，農耕的性格を示すのに対し，後期古墳は戦闘的，王侯貴族的，北

方アジア的，いわゆる騎馬民族的な性格に変化するととらえ，この大転換は，東北アジア系の騎馬民族が南朝鮮を経由して北九州に侵入，さらには畿内に進出して大和朝廷を樹立した結果と考えた。

これに対し塚口義信氏は，高句麗好太王碑文にみえる，辛卯年（391）に倭が百済・新羅を臣民としたと記すことについて，『日本書紀』応神天皇3年の記事より，百済宮廷の内紛に倭の軍勢が介入して辰斯王を殺害，甥の皇太子が阿花王に即位したと読み解き，渡海倭軍はこのクーデター後，佐紀王権を打倒，河内王権を擁立したとみる（塚口義信『神功皇后伝説の研究』）。

重装騎馬戦術は，甲冑に身を固めた武人が，馬鎧をまとった馬に乗り，長い矛や槍を持って突撃する戦法である。黒海北岸のサルマタイ族が発明したこの戦法は，インド・クシャーナ朝から後漢・魏晋南北朝，朝鮮三国・伽耶を経て，5世紀の日本列島まで伝わった。

一方，サルマタイ族の子孫であるアラン人は，匈奴の西走と合体してフン族に加わり，ヨーロッパにゲルマン民族大移動を引き起こした。ユーラシア東西に伝わった重装騎馬戦術は武人政権を成立させ，その暴力を制御するため，仏教・キリスト教との強い結びつきが生じ，初期中世社会が成立した。古墳時代もユーラシア「初期中世」の一端といえる。

百舌鳥・古市古墳群の大王陵

では，百舌鳥・古市古墳群の大王陵を具体的にみてみよう。まず，古市古墳群の津堂城山古墳（208m）は，長持形石棺をそなえ，三角板革綴短甲や銅鏡，巴形銅器，石製品が出土した。河内王権の初代王，応神大王の墓と考える。古市仲津山古墳（仲津姫陵，290m）は，宮崎県西都原女狭穂塚古墳と設計図を共有し，日向との親密な関係を示す。日向髪長姫と婚姻した仁徳大王の墓だろう。

百舌鳥上石津ミサンザイ古墳（履中陵，365m）は，陪塚に初期須恵器を伴い，5世紀前葉に築造された。履中大王に比定される倭王讃（421・425・430年遣使）は421年の遣使で安東将軍倭国王に叙せられた。

誉田御廟山古墳（425m）は応神天皇陵とされるが，埴輪は須恵質で，5世紀前半の王陵とみられ，被葬者は反正大王と目される倭王珍（438年遣使）がふさわしい。珍は，安東将軍倭国王の称号を授かり，倭隋ら13人に平西・征虜・冠軍・輔国将軍の称号を求めた。陪塚の誉田丸山古墳では，龍文を透し彫りにした金銅製の鞍金具が出土し，中国遼寧省喇嘛洞墳墓群から見つかった慕容鮮卑族の馬具と似る。鮮卑の馬具を新羅か伽耶で真似たと考えられる。

　大仙陵古墳（伝仁徳陵，486m）は墳丘から5世紀中頃の須恵器甕が出土した。前方部竪穴式石室には長持形石棺が納められ，ガラス碗・皿や金銅装眉庇付冑・横矧板鋲留短甲が副葬されていた記録が残る。即位しなかった皇太子の墓と考えられる。『宋書』によれば倭王済は443年に南朝の宋・文帝から「安東将軍」号を授けられ，451年には「使持節都督倭・新羅・任那・加羅・秦韓・慕韓六国諸軍事」の称号を追加されて「安東大将軍」に進み，配下の23人が将軍・郡太守の称号を与えられた。済に比定される允恭天皇は，葛城玉田宿禰を誅殺したと伝えられ，反葛城勢力が擁立した大王とみられる。また大仙陵と相似形の全国の大型前方後円墳は，上述の23名の将軍・郡太守の墓を含む可能性がある。

　百舌鳥ニサンザイ古墳（290m）は大仙陵古墳の直後頃の須恵器が出土し，倭王興（462年遣使）＝安康大王の陵墓と考える。古市岡ミサンザイ古墳（伝仲哀陵，242m）は雄略天皇＝倭王武（477・478年南朝遣使，490年前後没）陵とする説が有力だ。

　日本では敏達天皇陵を最後に，前方後円墳が停止し，用明天皇（587年没，593改葬）陵とされる春日向山古墳（65m×60m），崇峻天皇（592年没）陵の可能性がある赤坂天王山古墳（約50.5m×46.5m）以降，大王陵が方墳化する。中国では，南北朝時代に円墳だった皇帝陵は，隋文帝の泰陵（166m×160m）から方墳に転換する。秦の始皇帝陵（350m×345m）に倣い，589年の中国統一とともに泰陵建設が開始され，その情報が倭国に伝わり，王陵は方墳に変化したと考えられる。

■　■　■

　古墳時代を象徴する前方後円墳は，後漢の滅亡と初期ヤマト政権の成立とともに現れ，西晋や楽浪郡・帯方郡が滅亡した4世紀から巨大化し，5世紀の「倭の五王」の時代に極大化したが，副葬品は中国南朝の銅鏡を除けば，騎馬民族文化の影響をうけた馬具や甲冑，装身具が目立つ。

　ファラオだけが建設したピラミッドと異なり，全国各地で大小様々な規模で築造された前方後円墳は，祖先祭祀の共有を示し，倭国の王が全国の首長連合によって推戴されたことを物語っている。

■参考文献
江上波夫『騎馬民族国家』中公新書，1967
塚口義信『神功皇后伝説の研究』創元社，1980

巨大前方後円墳の築造

海邉 博史

　古墳時代中期（5世紀）は，日本列島に「倭」と呼ばれる政治的首長連合が成立・展開していた時代である。古墳はヤマト政権と呼ばれる首長連合における序列や身分秩序，同盟関係などを表現するモニュメントとして全国各地に築造された。中でも百舌鳥・古市古墳群に代表される巨大前方後円墳は，当時の東アジア社会における最新技術を駆使した巨大構造物といえる。

■ 百舌鳥・古市古墳群とは

　百舌鳥・古市古墳群は，大阪府堺市（百舌鳥古墳群），藤井寺市・羽曳野市（古市古墳群）に所在する。両古墳群は海や平野からの眺望を意識した場所に，地形を生かした形で古墳を配置している。現在は 89 基（百舌鳥古墳群 44 基・古市古墳群 45 基）が現存するのみだが，かつては 220 基以上の古墳が築造されていた。両古墳群は直線距離で約 10km 離れているものの，墳丘規模や形態，時期などに共通項が多いことから一体の古墳群と理解されている。おおむね古墳時代中期（5世紀）に築造された最大規模の古墳群である。

　百舌鳥・古市古墳群最大の特徴は，巨大前方後円墳が複数基築造されたことであろう。古墳群には，日本最大規模の仁徳天皇陵古墳（大山古墳・墳丘長 486m）をはじめ，第2位の応神天皇陵古墳（誉田御廟山古墳・墳丘長 425m），第3位の履中天皇陵古墳（ミサンザイ古墳・墳丘長 365m），第7位のニサンザイ古墳（墳丘長 300m）などの巨大古墳が含まれている。しかも，百舌鳥・古市古墳群は巨大古墳以外にも墳丘長 100m 級の中規模前方後円墳，50 〜 70m 級の帆立貝形墳，直径・一辺 10m 程度の小規模な円墳や方

墳など，多彩な墳形と墳丘規模が特徴である。

　このように百舌鳥・古市古墳群では，ヤマト政権の権力を明瞭化するモニュメントとして，大小さまざまな古墳が築造された。その際には，周辺古墳との位置関係や濠水を供給するための谷を取り込む最適な選地など，非常に高度な土木技術が古墳築造に集約された。本項では古墳の築造技術の一端について，筆者が調査に携わった2基の巨大前方後円墳（仁徳天皇陵古墳・ニサンザイ古墳）を例に紹介する。

図1　百舌鳥古墳群（堺市提供）

仁徳天皇陵古墳の築造

　近年，第1堤（内堤）で二度にわたり発掘調査が行われ，注目を集めた。この際の調査成果などをもとに，古墳の築造について考えてみたい。仁徳天皇陵古墳は，古墳盛土の体積が約140万㎥と推計されている。10tダンプ約25万台分の土量を，人力のみで運搬した計算になり，古墳の築造にいかに膨大な労力がかかっていたのか推測できる。

　仁徳天皇陵古墳の築造については，1985（昭和60）年に築造に関する工程や工法，費用などを以下の通り試算している（『季刊大林』20）。

　　［主要工事の設計数量・抜粋］　敷地面積：478,000㎡　墳丘面積103,410㎡　周濠掘削土量（内濠・外濠計）：738,000㎥　運搬土量：1,998,000㎥　葺石数量：5,365,000個（14,000t）　埴輪総数：約15,000個。

　当然，開墾も運搬も作業効率が現代工法と格段に異なる。ピーク時には1日2,000人が作業を行い，15年8か月かかったとされている。さらに，現場管理や専門技術者，道具類の調達などを含めると，1日3,000人もの人々が従事したと想定している。食事などの後方支援も含めると倍ほどの人員が必要であろう。すなわち，仁徳天皇陵築造には1日最大6,000人ほどが

動員されたと推測できる。

　仁徳天皇陵古墳では，第1堤（内堤）で2018（平成30）年と2021（令和3）年の二度にわたって発掘調査が行われ注目を集めた。この調査成果を加味すると，古墳築造にはさらなる追加作業を必要とすることが判明した。例えば埴輪の総数は，試算では約15,000本としているが，実数としては30,000本弱という推定がなされている（一瀬和夫『古墳時代のシンボル　仁徳陵古墳』）。筆者が調査に携わった2018（平成30）年の内堤（第1堤）では，外側にほぼ隙間なく並べられた1列の埴輪列を検出した（『書陵部紀要』第71号〔陵墓篇〕）。2021（令和3）年の調査では，堤の外側だけでなく内側にも埴輪が並んでいたことが分かった。詳細な状況は報告書の刊行を待たねばならないが，仮に内堤の両側に隙間なく埴輪列が存在したと推測すると，この堤だけで約9,300本並んでいた試算になり，総数30,000本弱の想定は首肯できる数である。また埴輪については，設置のみで試算が出されているが，当然埴輪を製作する過程（粘土・燃料の調達，埴輪の成形から乾燥・焼成など）や製作地から運搬する作業も勘案する必要がある。

　葺石の数量でも見直しが必要な調査成果があった。試算では墳丘のみで施工面積が出されている。しかし2018（平成30）年と2021（令和3）年の発掘調査では，墳丘外側を取り巻く内堤上平坦面で石敷を検出した。仮に全面敷設されたとすると約65,800㎡となる。墳丘と同じ密度で礫を敷いたと仮定すると，約4,869,000個（約12,700t）追加となる。墳丘ほど密に葺かれた可能性は少ないが，いずれにしても試算よりも膨大な礫が必要であることは間違いない。また，葺石採取地からの運搬についても検討する必要がある。試算では至近の石津川からの採取と仮定している。しかし，百舌鳥古墳群中の長山古墳（墳丘長約110m・4世紀後半）の発掘調査時に，葺石の岩種および産地を調べた結果，岩種別で最も比率が高かった砂岩・礫質砂岩・礫岩（約62％）の産地は，大阪南部の河川や海岸と推測されている（大津川の河口から仁徳天皇陵古墳までの直線距離は約11km）。また，4％に過ぎないが大阪湾の対岸（直線距離で約25km），西宮市から神戸市にかけての六甲山南麓の黒雲母花崗岩も確認されている。おそらく海路で運搬したのだろう。さらに仁徳天皇陵古墳の陪塚（同時期に巨大古墳の周囲に計画的に

56

配置された小型古墳）である収塚古墳（墳丘長約59m・5世紀中葉）の葺石で
も同様の傾向を確認した。いずれも試算よりはるかに遠い地域から葺石石
材が運搬されていたことがわかる。

　仁徳天皇陵古墳の埴輪，葺石に限って検討を行ったが，これだけでも15
年8か月という従来の試算では到底完成しえない。おそらく20年を超える
年月をかけて作られたのだろう。百舌鳥・古市古墳群では，常に数基から
10基前後の古墳が同時並行で築造されていた。古墳築造に莫大なエネルギ
ーを注力していた時代だったといえる。

ニサンザイ古墳の築造

　次にニサンザイ古墳の調査から土木技術を見てみたい。ニサンザイ古墳
は全国第7位の墳丘規模をほこる巨大前方後円墳である。墳丘や周濠内を
含む範囲確認調査は，2012〜2015（平成24〜27）年度に宮内庁と堺市が
それぞれ一連の調査区を設定して同時に調査を実施した。

　ニサンザイ古墳の調査で最も大きな成果としては，後円部主軸上で木橋
を検出したことである（『百舌鳥古墳群の調査』11）。古墳に架かる木橋の発
見は，全国で初めての事例となった。幅11m，長さ約55mの巨大な橋が
想定されている。柱穴は方形で，大きなもので一辺0.9m，深さ約1.0mを
測る。ただし，橋に関連する部材がほとんど見つかっていないため，上部
構造は不明である。残存していた柱材はクヌギまたはアベマキで，直径
0.21m，残存長1.2mを測る。木橋が構築された時期は，古墳築造の最終
段階で，かつきわめて短期間で撤去されたことも判明している。

　古墳に巨大な橋を架ける意味は何だろうか。調査報告書では，巨大な石
棺を運び入れることなども含めた葬列のための墓道であり葬送儀礼にかか
わる場を想定している。木橋の発見により，前方後円墳の名称の通り，前
が方形部，後ろが円形部，という従来の古墳の正面観や，石棺など主体部
への経路，葬送儀礼の復元などについて，新たな課題が多く提示されるこ
ととなった。

　土木技術の観点から，木橋と並んで注目すべき調査成果があった。ニサ
ンザイ古墳は周濠の発掘調査を各所で行ったため，後円部と前方部主軸上

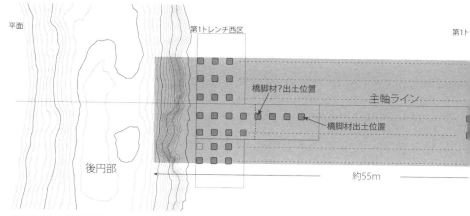

平面　　　　　　　　　　　　　　　　第1トレンチ西区　　　　　　　　　　　　　　　　第1ト

橋脚材?出土位置

主軸ライン

後円部

橋脚材出土位置

約55m

図2　ニサンザイ古墳の木橋
（堺市文化財課提供。堺市文化観
光局文化部文化財課『百舌鳥古墳
群の調査11』より）
　左　木橋の遺構
　上　木橋の図面

　それぞれの墳丘裾の位置が判明し、巨大前方後円墳で初めて墳丘規模が確定した事例となった。墳丘長300.3m、後円部直径168.6m、前方部幅246.4mを測る。また、調査によって墳丘裾の標高で興味深いことが判明した。ニサンザイ古墳は、東側から西側へ下る緩やかな傾斜地上（地山の東西比高差約4m）に周濠を掘り墳丘や堤を盛る土木工事を行っていた。墳丘裾の標高は、後円部東側（主軸上）19.8m、後円部北側（中軸上）19.5m、後円部南側（中軸上）19.6m、前方部西側（主軸上）19.5mであった。すなわち、墳丘長（後円部端から前方部端までの距離）約300mで比高差がわずか0.3mに過ぎない。測量機器もコンピューターもない時代に、水没して見えなくなる墳丘裾の標高をほぼ誤差無しの精度で揃えるという、高い土木技術が古墳築造に用いられていたことが発掘調査で明らかになったのである。

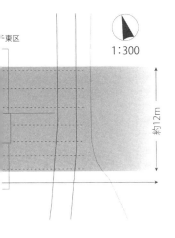

東区

1:300

約512m

■ 百舌鳥・古市古墳群の価値

　百舌鳥・古市古墳群は，古代中央集権国家が成立する直前の時代に，古墳という巨大構造物に権力を投影した日本列島の人々の歴史を物語る顕著な証拠と評価できる。

　本古墳群だけでも200基以上の古墳が築造された背景には，規模や形などによって当時の政治的社会的な構造を表現するという，独特かつ体系だった葬送文化や儀礼が存在し，社会秩序を表現していたことが分かっている。本古墳群は，日本全国の古墳群が形成する階層構造の頂点に位置し，群構成の規範をなし，同時代，同地域に多様な墳墓が営まれた日本列島の古墳の特徴を最も明瞭に示すものである。巨大古墳を築造するにあたり，正確な設計や高度な測量・土木技術，そして調達や後方支援，工程管理といったマネジメント力などのさまざまなノウハウがすでに完成していたことがわかる。古墳を築造するために，朝鮮半島をはじめとした東アジアから最先端の技術と情報を入手していたことは想像に難くない。海を越えた双方向の人とモノのつながりが推測できるのである。

　百舌鳥・古市古墳群は，このような多くの普遍的価値を有していることから2019（令和元）年に世界文化遺産に登録された。貴重な遺産を未来に継承していくために，今後も調査研究を継続し，その成果に基づく適切な保存活用を推進していきたい。

■参考文献
一瀬和夫『古墳時代のシンボル 仁徳陵古墳』新泉社, 2009
大林組プロジェクトチーム「現代技術と古代技術の比較による仁徳天皇陵の建設」『季刊大林』20,1985
宮内庁書陵部「仁徳天皇 百舌鳥耳原中陵第1堤における遺構・遺物確認のための事前調査」『書陵部紀要』第71号〔陵墓篇〕, 2019
堺市文化観光局文化部文化財課『百舌鳥古墳群の調査11 ニサンザイ古墳発掘調査報告書』2018
文化庁ホームページ　百舌鳥・古市古墳群推薦書（日本語）
https://bunka.nii.ac.jp/docs/special_content/recommendation/19_mozu_furuichi.pdf
（2022年5月15日閲覧）

ローマの崩壊とゲルマン人の移動

南雲 泰輔

▌古代から中世へ

　ユーラシア規模の気候変動に端を発するフン人の西進に圧迫され，ゴート人の集団がドナウ川を渡り，避難場所を求めてローマ帝国東部領域内へ移動してきたのは376年のことである。ときのローマ帝国東部正帝ウァレンス（在位364〜378）は，「難民」であったこのゴート人集団を帝国東部領域内へ受け入れた。しかし，ローマ人の現地役人による苛烈な扱いに耐え兼ねたゴート人は378年に蜂起し，帝国東部軍と戦って甚大な被害を与えた（アドリアノープルの戦い）。戦死したウァレンス帝の後を継いだテオドシウス1世（在位379〜395）は，ゴート人と同盟を結び，「同盟部族」として軍役奉仕と引き換えに帝国東部領域内への居住を認めた。

　5世紀に入ると，405年にイタリアに侵入したゴート人集団は，帝国西部の皇帝ホノリウス（在位393〜423）を後見した軍司令長官スティリコ（？〜408）率いるローマ帝国西部軍（「蛮族」の部隊との混成軍）により破られたが，翌406年末には，ヴァンダル人，アラン人，スエビ人ら「蛮族」の連合体が凍結したライン川を大挙して渡り，帝国西部領域内へ移動してきた。これらの諸集団はガリア（フランス）とヒスパニア（スペイン）に侵入し，帝国西部の属州統治を荒廃させた。さらに410年8月24日から3日間にわたり，「永遠の都」ローマ市がアラリック王（370？〜410）率いるゴート人によって劫略され，その相対的に軽微とされる損害にもかかわらず，司教アウグスティヌス（354〜430）や聖職者ヒエロニュムス（347？〜420）ら同時代人に深刻な精神的衝撃を与えた。455年には，カルタゴを略奪（429）したヴァンダル人により，ローマ市は再び劫略された。

　ゴート人がドナウ川を渡ってからおよそ100年後の476年，帝国西部皇帝ロムルス・アウグストゥルス（在位475〜476）は，ゲルマン人傭兵隊長オドアケル（433？〜493）によって廃位された。同時代的には何らの影響も及ぼさなかったこの「音もなき崩壊」が，いわゆるローマ帝国西部の政治的崩壊とされる事件である。旧帝国西部領域にはやがてゲルマン諸国家が築かれ，ヨーロッパ中世世界の形成へと向かうことになる。

ローマの崩壊── ゲルマン人とローマ人のアイデンティティをめぐって

　18世紀の啓蒙主義時代以来，ローマ帝国の衰亡は「野蛮と宗教の勝利」，すなわちゲルマン人による侵入と建国，そしてキリスト教拡大の過程とされ，古代の終焉と中世の開始を画する世界史上・時代区分上の重大事件とも見なされてきた。もとよりローマ帝国西部の政治的崩壊の理解には，各時代を生きる研究者の過去に対する眼差しが色濃く反映している。独裁君主を頂く専制国家体制や肥大した官僚制，軍の「蛮族化」など帝国内部の病理を重視する立場（内因論）と，ゲルマン人やササン朝ペルシアからの外圧を重視する立場（外因論）とに大別されるローマ衰亡論は，総計210にも及ぶ多種多様な帝国衰亡の原因を数え上げたのであり，それ自体が史学史上の展開として極めて興味深い。

　他方，1970年代以降の学界では，200年から700年に至る約5世紀間を，ローマ帝国の「衰亡」ではなく，帝国外諸民族も含めたローマ世界の「変容」の時代として積極的に評価しようとする「古代末期」論が，多元文化主義・多文化主義の影響下で急速に拡大した。ローマの崩壊過程のなかでゲルマン人が果たした役割の位置づけをめぐっても，EU統合を背景に，ローマとゲルマンを二項対立的に捉えるごとき単純化された図式が批判され，ゲルマン人を略奪と破壊によって残忍かつ暴力的に帝国を崩壊させた「蛮族」と見なす通俗的イメージは，もはや維持し難いものとなった。

　事実，ローマ崩壊期においてゲルマン人の占めた位置は多様であった。4世紀半ばから後半にかけて，帝国国境地帯では難民あるいはローマに対する敵対者としてのゲルマン人集団が存在した一方，帝国中枢ではローマ的な生活様式を受容し，ローマ軍内部に入り込んで立身を遂げたゲルマン人

図1　スティリコ(右)・セレナ(左, テオドシウス1世の姪でスティリコの妻)・エウケリウス(左端, スティリコとセレナの息子)の象牙製二つ折り板(4世紀, イタリア, モンツァ大聖堂蔵)

図2　パンノニアのフランク人兵士の墓碑(ラテン碑文集成3.3576. 4世紀, ブダペスト近郊出土, ハンガリー国立博物館蔵)　碑文上段'Francus ego cives Romanus miles in armis.' の訳は,「私はフランク人市民であり, 武装したローマ兵である」もしくは「私はフランク人であり, ローマ人であり, 武装した兵士である」。／©Budapest - Magyar Nemzeti Múzeum, Foto: Ortolf Harl 2006

将軍たち(フランク人出身のメロバウデスやバウト, 父がヴァンダル人出身のスティリコら〔図1〕)がいた。彼ら「蛮族」出自の将軍は, ローマ軍に組み込まれたゲルマン人兵士を率いて, 帝国に侵入する「蛮族」と戦った。こうした将軍や兵士は, ローマに「順応」したゲルマン人であった。そして, ローマ軍に帰属したゲルマン人兵士は, ゲルマン人であると同時にローマ人でもあるという, 二重のアイデンティティを何ら矛盾なく保持しえた(図2)。

　もっとも, この時代にはローマ人の側も, ゲルマン人との接触のなかで, 自らのアイデンティティを変容させていた。4世紀末には, ローマ市内でのゲルマン風の身なり(長髪, ズボン, ブーツ, 毛皮)を禁じ, 違反者を厳

図3　狩猟者のモザイク（5世紀，ボルジュ・デディッド〔チュニジア，カルタゴ近郊〕出土，大英博物館蔵）　馬上の人物は，従来ヴァンダル人とされてきたが，近年の研究ではゲルマン風の身なりをしたローマ人と考えられている。／ⓒ The Trustees of the British Museum

罰に処する法が繰り返し公布されたが，それは当時のローマ人のあいだでゲルマン風の服装が一般的となっていた現実を示している（図3）。また，ローマ人とゲルマン人のあいだの通婚は法で禁じられ，ローマ市の元老院貴族は決して「蛮族」と通婚せず，しかも帝国の東西で反「蛮族」言説が強く主張された。しかし，その同じ時代に，皇帝アルカディウス（在位383〜408）やホノリウスは「蛮族」出自の女性を妻とし，しかも帝国東部では「蛮族」の血を引く皇帝テオドシウス2世（在位402〜450）さえ出現した。

ゲルマン人の移動──「大移動」の地図を解体する

　そもそも「ゲルマン人」とはローマ側からの呼称であり，関連史料も基本的にはすべてローマ側の著者によるものである。ローマ人は，先行するギリシア人の「蛮族」概念を継承し，帝国拡大の過程で接触した多様で異質な他者を，ギリシア・ローマの歴史叙述の伝統のなかで形作られたエスニックなカテゴリーにあてはめて記述した。その際，ローマ人は「蛮族（ラテン語で「バルバルス」）」を，単に「バル，バル，バル」と聞こえる理解できない言語を話す人としてのみならず，自然に近い自由な生活様式を持つ

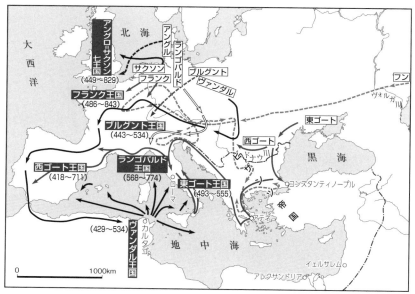

図4 「ゲルマン人の大移動」の地図の例

人びととして理想視したり，逆に奴隷，野獣，非理性的，不信心，不誠実，
残忍，狡猾，不遜，飲んだくれといった，「文明」と対置されるべき「野蛮」
な存在としてステレオタイプ化したりした。

　さらに，ローマ側の記述では，ゲルマン人は，ゴート人，フランク人，
ヴァンダル人などの集団のみならず，より下位の小集団へも区分されてい
た。たとえば，ゴート人内部では，「草原の民」を意味するテルウィンギ集
団（のち西ゴート王国を建国）と「森の民」を意味するグレウトゥンギ集団（の
ち東ゴート王国を建国）が識別された。近現代の研究者によるナショナリズ
ムに基づく学説では，こうした「蛮族」の各集団は，弁別可能な独自の起源・
集団名・言語・物質文化・生活様式・慣習，とりわけ固有の文化的・政治
的アイデンティティを保持しつつ，その故地から建国の地へと移動したと
理解されてきた。すなわち，「ゲルマン人の大移動」という考え方の背後には，
各集団の長期にわたる固定的・安定的なアイデンティティの存在が前提と
されてきたのである。

　しかし，かかる見方は，人類学者・社会学者による理論的貢献や考古学的研究の進展によって，現在では否定されている。ナショナリズムに基づく理解が想定したような，言語・物質文化・民族のあいだの直接的対応関係は存在しない。それゆえ，「ローマ人」に対置可能な「ゲルマン人」というアイデンティティを安易に想定することは不適切である。ゲルマン人の保持したアイデンティティは，実際には重層的かつ流動的であり，新たに出現・消失したり，複数集団にまたがったりすることもありえたし，利害関係に応じて可変的でさえあった。さまざまな小集団が，ローマとの接触の過程で離合集散を繰り返しながら，5世紀から6世紀にかけて徐々にエスニックなアイデンティティを形成したというのが実情であった。それゆえ，現在でも教科書や参考書などで一般的な「ゲルマン人の大移動」の経路を示す地図（図4）は，各集団が同一性を保ったまま移動していたかのごとく錯覚させるという点で，すでに不適切なものとなっている。

　ローマ崩壊とゲルマン人の移動は，それによって古代が終わり，中世が始まる出来事と理解されてきた。それゆえ，ローマ崩壊の過程のなかでゲルマン人の果たした役割を考えることは，古代と中世という二つの時代を架橋する営為である。同時に，それはこの問題に取り組む私たちの価値観の再考を絶えず促しもする。何が「文明」であり，何が「野蛮」であったか。私たちがそのように考えるのはなぜか。古代と中世をつなぐ試みは，それを考える個々人の生きる時代と不可分なのである。

■参考文献

ウォード＝パーキンズ，ブライアン（南雲泰輔訳）『ローマ帝国の崩壊〔新装版〕：文明が終わるということ』白水社，2020（初版2014）
ギアリ，パトリック・J（鈴木道也・小川知幸・長谷川宜之訳）『ネイションという神話：ヨーロッパ諸国家の中世的起源』白水社，2008
クメール，マガリ／デュメジル，ブリューノ（大月康弘・小澤雄太郎訳）『ヨーロッパとゲルマン部族国家』白水社（文庫クセジュ），2019
クラーク，ジリアン（足立広明訳）『古代末期のローマ帝国：多文化の織りなす世界』白水社，2015
クルセル，ピエール（尚樹啓太郎訳）『文学にあらわれたゲルマン大侵入』東海大学出版会，1974

中部ユーラシアを動く

4〜7世紀の十字路

妹尾 達彦

交錯する中部ユーラシア

「中部ユーラシア」とは，おおよそ東経40°前後から80°前後のユーラシア大陸の中央部を指す地域概念である。地中海の東方からインド亜大陸にいたる広大な地域であり，西洋と東洋の間にはさまれた「中洋」にあたる。この中部ユーラシアこそが，4〜7世紀の歴史の主要な舞台となるのである。

人類史において，アフロ・ユーラシア大陸（アフリカ大陸とユーラシア大陸）は，何度か人間の大きな移動期をむかえる。その中でも，4〜7世紀と16〜18世紀の二つの大規模な人間移動期が，アフロ・ユーラシア史の枠組みをつくってきた。前者は，遊牧民の農業地域への移動期であり，後者は，旧大陸の住民の新大陸への移動期にあたる。ともに，人間と家畜や食材，疾病，技術，宗教，思想の衝突と交流を促進し，既存の人類の生活様式を変容させる契機となった点で共通する（図1参照）。

4〜7世紀の移動期の特色は，遊牧地域と農業地域を包含する農牧複合国家と，遊牧文化と農耕文化が複合する農牧複合文化を生み出したことである。この形態は，農業地域と遊牧地域に個別に存在した従前の古典国家とその文化とは異なっている。ユーラシア大陸西部では，4世紀後半の半農半牧のゲルマン諸部族のヨーロッパへの移動により，ゲルマン系諸国家が形成された。中部では，遊牧国家エフタル（5世紀半ば〜6世紀）が，イラン高原のササン朝ペルシア（224〜651）やインド亜大陸のグプタ朝（320頃〜550頃）の領域に進出することで，既存の政治秩序が揺らぎ，後のイスラーム王朝（ウマイヤ朝661〜750）の成立を準備した。東部では，4世紀初めに，匈奴等の遊牧民の反乱を機に五胡十六国時代（304〜439）が始まり，

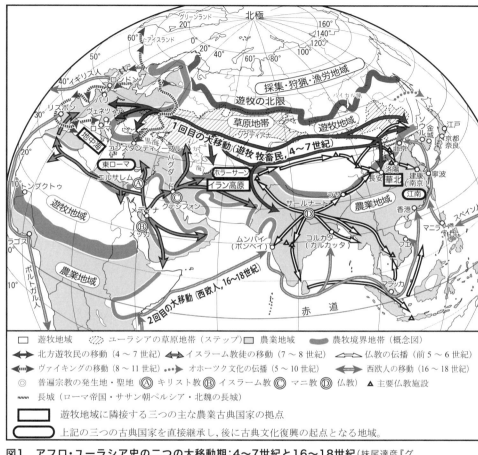

図1　アフロ・ユーラシア史の二つの大移動期：4〜7世紀と16〜18世紀（妹尾達彦『グローバル・ヒストリー』〔中央大学出版部, 2021〕72頁を改図）

鮮卑拓跋部出身の遊牧民が為政者となった北魏（386〜534）による中国の華北統一を経て，6世紀末に，同じ鮮卑系の為政者をもつ隋（581〜618）が，中国大陸の南北統一に成功する。

　4〜7世紀の混乱を経て誕生した上述の農牧複合国家は，従来の国家とは異なる複雑な民族構成や生業，慣習，信仰等の違いを内包するために，普遍的な法律や宗教，共通言語，より公平な人事登用制度を用いざるを得なかった。それぞれの国家が，ローマ法やイスラーム法（シャリーア），律

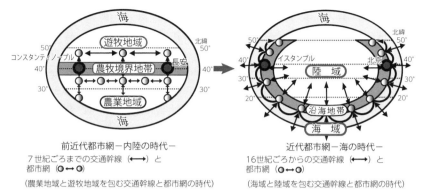

図2　アフロ・ユーラシア大陸の幹線交通網の転換(妹尾達彦『グローバル・ヒストリー』〔前掲〕12頁, 図2を改図)

令に代表される国際法を必要とし，キリスト教やイスラーム教，仏教などの普遍宗教を政治理念とし，普遍的な文字表記としてのラテン文字やアラビア文字，漢字等を整備したのは，そのためである。

　4〜7世紀の人間移動は，各地域の交通網を連結させ，ユーラシア大陸を貫く内陸幹線路の拡張をうながした。その結果，ユーラシア大陸の交通の要衝となったソグディアナに，国際商人集団が登場する。イラン系のソグド人である。ソグド人は，この混乱期に東西交通の主役に躍り出て，商業網でつながる"商業帝国"を樹立し，ソグド語は国家を超えて使用される国際語となった。内陸路を軸とするソグド商人の商業路は，8世紀のイスラーム帝国（アッバース朝750〜1258）の形成とともに，都のバグダードを中核とする沿海港湾都市網に連接した。その結果，9世紀以後，内陸と海路が連結するアフロ・ユーラシア大陸の広域交易網が誕生する(図2参照)。このように，中部ユーラシアは，4〜7世紀に交通幹線の交錯する要地となり，4世紀から数世紀の間，アフロ・ユーラシア大陸における経済活動の心臓部になり続けるのである。

┃4〜7世紀の十字路

　ユーラシア大陸の遊牧政権は，北緯40°〜50°に広がるユーラシア大陸の草原地帯（ステップ）とその南の乾燥地帯に拠点をおいた。草原地帯は，

緯度が高いために気候変化の影響を受けやすい。4〜6世紀における北半球の年平均気温の低下と乾燥化は，部族同士の争いを頻発させ，家畜の快適な牧地を求める遊牧民の大規模な移動を発生させた。4〜6世紀は，日本列島では古墳時代に相当し，古墳寒冷期と呼ばれる。一方，7〜8世紀に地球の温暖化が始まると，ユーラシア大陸の東西において，オホーツク文化が東方に拡大し，ヴァイキングが北部や西部に進出する（図1参照）。

　中部ユーラシアでは，5世紀のエフタルのイラン高原やインド北部への侵入が，既存のササン朝やグプタ朝を動揺させた。エフタルは，ササン朝の皇帝の人事に介入するほどの力をもち，ササン朝は，長年にわたってエフタルの重圧に苦しんだ。ササン朝は，ホスロー1世（在位531〜579）の時に最盛期に達し，税制や官僚制の整備を進め，6世紀に台頭した遊牧国家の突厥と同盟を結ぶことで，エフタルの侵入を退けた。ただ，その後は，突厥に外交的圧力を受けることになる。ホスロー1世は，カスピ海東方に長城を建造し，遊牧騎馬軍団の侵入に備えた。この時期のユーラシア大陸の古典国家では，騎馬軍団の侵入を防ぐために長城を各地に築き，その結果，長城を守る軍団が各国家で強い政治権力をもつようになった（図1参照）。

　ササン朝は，アケメネス朝（前550〜前330）のペルシア文化の後継者であることを自認したが，前身の遊牧系のパルティア（前248頃〜後224）の制度を踏襲し，メソポタミアの都市文化やヘレニズムの国際文化も受け継ぎ，多様な民族と多彩な文化を内包する典型的な中部ユーラシアの古典国家だった。ゾロアスター教やマニ教も，この時期に中部ユーラシアの社会に浸透する。7世紀にアラブ遊牧民を主体とするイスラーム勢力に滅ぼされても，ササン朝の文化はイランの民族意識の源流となり現在にいたっている。

　ユーラシア大陸全体に目をやると，遊牧民の農業地域への移動は，今まで人の住む場所ではなかった低湿地の開拓を本格化させ，沿海地帯に人々が移住することを余儀なくさせた。干潟（ラグーナ）におけるヴェネツィアの都市建設は，騎馬戦術に長けるが海戦には弱いゲルマン諸部族の攻撃を避けるためであり，建康（南京）を始めとする中国江南の都市造成も，華北に侵入した遊牧民の騎馬軍団を逃れた人々が主体となり，長江下流域の低

湿地帯の丘陵部を開拓しながら進められた。

　その結果，ユーラシア大陸における大河川下流域の沿海部の居住環境の改良が進み，海路を利用する港湾都市網がつくられ，内陸陸路と水運，海運を系統的につなぐユーラシア大陸の新たな交通体系が生み出されていく。7世紀初の隋の大運河開削は，このようなユーラシア規模の交通体系再編の結果である。アラビア半島西側の沿海都市から始まったイスラームの台頭も，遊牧民の移動を契機とするユーラシア大陸の港湾都市網の形成と密接に関連する。

▌革新的融合（イノベーティブ・フュージョン）

　図1に描いたように，4〜7世紀における人間移動は，かつてない大規模な文化の融合をユーラシア大陸の各地域にもたらした。異なるものが新たにぶつかり融合することで，革新的な融合が生じるのである。文化融合が最も顕著に現れるのは，話すことばであり，衣食住の生活様式，軍事を始めとする技術，音楽や演劇・詩歌・絵画などの芸術，宗教・思想である。

　この時期に，アケメネス朝以来の古代ペルシア語は，ササン朝のもとで中期ペルシア語（パフラヴィー語）として発展し，7世紀のイスラーム王朝によるササン朝の滅亡後は，ペルシア語の音韻に合わせたアラビア文字が使われるようになり，新ペルシア語へと変貌していく。また，農耕と牧畜が有機的に結合する農牧複合が，アフロ・ユーラシア大陸の農業地域に広がった。軍事技術の点では，鐙（あぶみ）の使用が中部ユーラシアでも広まり，鞍を始めとする乗馬用具が改善され，騎馬と歩兵を効率的に編成する軍隊組織や，都市城壁の防禦と攻撃の進化が見られるようになった。食材の点では，クルミやアーモンド，キュウリ，ホウレンソウ，ウマゴヤシ，コリアンダー，レタス，エンドウ，ブドウなどが，中部ユーラシアから東部ユーラシアに大量に伝播し，既存の食材や料理の体系を変えていった。16〜18世紀における新旧大陸の"コロンブス交換"ほどではないにしても，かつてない規模の文化の移動と融合であったことは疑いない。

　文化の融合は，芸術において顕著に見られる。ペルシアやインドの詩歌が，楽器とともに仏教などの宗教を通して東方に伝えられ，ユーラシアの各地

において，遊牧民の歌謡の流入が農業地域の伝統的な詩歌を変容させてい
った。日本の雅楽からは，ユーラシア大陸における当時の音楽文化の融合
性を具体的にうかがうことができる。宗教では，中部ユーラシアから生ま
れたキリスト教やゾロアスター教，マニ教，仏教が，教義に違いはありな
がらも，宗教的折衷を重ねて東西に伝わり，各地域の伝統信仰と融合しつつ，
互いに普遍性を競い合った。すなわち，4〜7世紀の混乱と衝突，融合を
象徴する地域が，中部ユーラシアだったのである。

　このように，4〜7世紀における人間と文化の移動は，農業地域におけ
る既存の古典国家を解体させ，牧畜と農業が複合する広域の統治国家をア
フロ・ユーラシア大陸の各地域に誕生させた。ここで重要なことは，混乱
の中でも，4世紀以前の農業地域における古典文化を継承する地域が存在
し続けたことである。地中海世界における東ローマ，中部ユーラシアにお
けるホラーサーン，東部ユーラシアにおける江南の地域である。これらの
地域は，遊牧系政権の軍事的圧力を受けながらも，それぞれの地域におい
て古典文化（ギリシア・ローマ文化とペルシア文化と漢文化）を温存し，後代
に伝える役割を担った。後のユーラシア大陸における複数の古典文化の復
興運動（ルネサンス）は，これら三つの地域が起点となって生じるのである（図
1 参照）。

■参考文献
足利惇氏『世界歴史9　ペルシア帝国』講談社, 1977
シェーファー, エドワード・H(伊原弘日本語版監修, 吉田真弓訳)『サマルカンドの金の桃』勉誠出版,
2007
ドゥ・ラ・ヴェシエール, エチエンヌ(影山悦子訳)『ソグド商人の歴史』岩波書店, 2019
バラクラフ, ジェフリー総監修, 日本語版編集参与成瀬治・山口修・三浦一郎『朝日＝タイムズ世界歴
史地図』朝日新聞社, 1979
Berthold Laufer, *SINO-IRANICA; Chinese contributions to the history of civilization in
ancient Iran, with special reference to the history of cultivated plants and products*,
Field Museum of Natural History, 1919

第3章

7世紀〜8世紀の世界

8世紀中頃

フランク王国

アヴァール帝国

ハザール帝国

ドナウ川

60°

大西洋

コルドバ

ウ

マ

イ

ヤ

朝

（750年 アッバース朝成立）

ローマ

30° 黒海

コンスタンティノープル

ビザンツ帝国
（東ローマ帝国）

地中海

ダマスクス

イェルサレム

ティグリス川

バグダード

ユーフラテス川

イスファハーン

アラル海

シ

ル

川

サマルカンド

ア

ム

川

カスピ海

ダ

ス

川

ペルシア湾

メディナ

メッカ

アラビア半島

アラビア海

サハラ砂漠

ニジェール川

ナイル川

紅海

アクスム王国

コンゴ川

イン

0°

60°

フランク王国のカール大帝

バグダードの円城

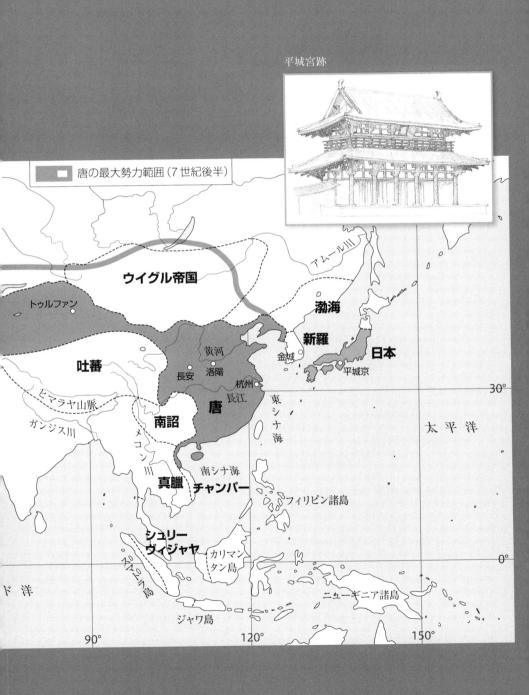

平城宮跡

唐の最大勢力範囲（7世紀後半）

ウイグル帝国

トゥルファン

アムール川

渤海

新羅

金城

日本

平城京

黄河

洛陽

長安

吐蕃

ヒマラヤ山脈

ガンジス川

南詔

メコン川

唐

杭州

長江

東シナ海

太平洋

30°

真臘

チャンパー

南シナ海

フィリピン諸島

シュリー
ヴィジャヤ

スマトラ島

カリマン
タン島

0°

ド洋

ジャワ島

ニューギニア諸島

90°

120°

150°

73

イスラーム国家の出現とアフロ・ユーラシアへの拡大

三浦 徹

　アラビア半島の国際商業都市メッカで，610年のある日，ムハンマドという男が洞窟でお籠もりをしていると，「詠め」という声が聞こえてきた。それは，神（アッラー）の教えであり，生涯にわたって彼に下った啓示を書き記したものが「コーラン（クルアーン）」である。コーランには，日常生活あるいは政治や経済のうえで，信徒が守るべき規範が，具体的に示されている。

　メッカで迫害をうけたムハンマドは，622年に信徒70名を率いてメディナに移り，メッカ軍との戦いをへて，630年にメッカに無血入城した。ムハンマドの死後，信徒は後継者（カリフ）として，アブー・バクルを推戴し，アラビア半島のほぼ全域を制圧し，2代カリフのウマル1世の時に，ササン朝やビザンツ帝国の軍を破り，シリア，イラク，エジプトを征服した。第3代ウスマーンの時代には西はチュニジア，東はイランまでを支配下におき，8世紀初めには，西はモロッコからイベリア半島，東はアフガニスタンからインド西部まで征服した。こうした征服活動によって，広大な版図をもつイスラーム国家が出現し，ウマイヤ朝（661〜750）・アッバース朝（750〜1258）に継承された。カリフによる一元的な統治体制は10世紀以降に崩れるが，ムスリムの活動領域は，中央アジアや南アジアから東南アジア，東アフリカへと拡大し，イスラーム世界とよばれる。

契約による国家

　メディナに移住（ヒジュラ）したムハンマドは，文書によって，神のもとで信者がひとつの集団を結成し，安全を保障し，不正と戦うことを誓約した。これが，イスラーム教徒の共同体（国家，ウンマ）の始まりである。ムハンマドは，アラビア半島のアラブ諸部族と盟約を結び，税を徴収する政策をとった。632年にムハンマドが死去すると，信徒は，ムハンマドの後継者（政治権限者）として，アブー・バクルを選んで忠誠（バイア）を誓い，アブー・バクルは，「私が神と神の使徒に従っているかぎり，私に従いなさい。私が神とその使徒に背いたなら，私に従う必要はない」と述べた。従うべきかどうかの判断基準は，神と神の使徒の教え，すなわち，コーランと預言者ムハンマドの言行（ハディース）であった。

信徒は，信徒同士の誓約（契約）によって国家を作り，その政治指導者は，コーランとハディースを規範（法）として統治した。一神教（ユダヤ教，キリスト教）の信者は「啓典の民」とよばれ，税の支払いとひきかえに，生命・財産・信仰を保障する契約（ズィンマ）を結んだ。

アラブ・イスラームの大征服

　バラーズリー（892 年頃没）の『諸国征服史』は，7 ～ 8 世紀に行われたアラブ・イスラーム軍の東西にわたる大征服事業を，当時の伝承をもとに体系的にまとめた史書である。そこでは，ビザンツ帝国軍を破ったヤルムークの戦い（636）やササン朝軍を破ったニハーヴァンドの戦い（642），シリア，エジプト，イラク，イランなどの諸地域の都市の征服の過程が淡々と記されている。

　その記述からわかることは，つぎの 3 点である。第一に，征服は，カリフの命令（許可）に基づき，将軍の指揮によって行われ，両者の間では，遠隔でも文書によって緊密な連絡（報告と命令）が行われていた。

　第二は，征服には，武力（アンワ）によるものと和平（降伏，スルフ）によるものの 2 種類があり，両者が状況に応じて併用されていたことである。たとえば，635 年 3 月のダマスクス征服については，4 人の将軍がダマスクスを包囲した。東門を固めたハーリド・ブン・アルワリードに対し，キリスト教の主教が和平を申し出て，ハーリドは，市民の生命・財産・教会の安全を保障する文書を羊皮紙に書いて渡した。日の出とともに，ハーリドは東門から入城したが，それより早く西門からアブー・ウバイダの兵が突撃して進入していた。このとき，あるムスリムから「ハーリドは最高司令官ではない，彼の結んだ条約は効力をもたない」との疑問が呈されたが，アブー・ウバイダは「ムスリムはだれでもムスリムのために条約を結ぶことができる」と述べ，この条約に署名した。このため，市全体が和平による征服となり，カリフにも手紙で報告された。641 年には，エジプトのバビロン城が武力によって，翌年アレクサンドリアは和平によって征服された。

　第三は，征服に際して，大量のアラブ兵やその家族の移住が行われたことである。先のヤルムークの戦いでは，ムスリム軍 2 万 4000 人が結集した。征服した地域では，統治のために既存都市を利用するとともに，新たに都市を建設し，そこにアラブ兵や家族を駐屯させた。639 年にはユーフラテス川中流のクーファにモスクや政庁をたて，約 2 万人が割り当てられた街区に居住した。これは軍営都市とよばれ，南イラクのバスラ，エジプトのフスタート，チュニジアのカイラワーンなどが挙げられる。征服地では，地域ごとに総督が任命され，総督は，税を徴収し，

国家に登録した戦士に給与や年金を支給し，また住民からの訴えを裁いた。ウマイヤ朝時代までに征服地に移住したアラブは，合計して130万人ともいう。

一元的な統治体制

　征服地では，ムスリム以外の住民から人頭税（ジズヤ）が，農民からは地租（ハラージュ，収穫の約半分）が徴収された。当初，移住したアラブ・ムスリムは，ハラージュを免れたり，より低率のウシュル（十分の一税）を納めたりしたが，ウマイヤ朝カリフ，ウマル2世（在位717〜720）のときに，征服地はムスリム全体に属する不可分の土地財産（ファイ）であり，ファイを用益するものは地代としてのハラージュを納めなければならないという理論を打ち立てた。これによって，ハラージュを基本とする税制が確立され，私有地や輸入品にはウシュルが課され，ジズヤはしだいに名目的なものとなっていった。

　このような税や行政制度の整備に伴って，ギリシア語やペルシア語も併用されていた行政文書は，アラビア語に統一され，アラビア語の正書法も整えられた。また，カリフや地方総督によって，ディーナール（金貨）とディルハム（銀貨）が鋳造され，贋金や悪貨の取締りが行われた。これらは『諸国征服史』のなかでも独立の章をもうけて記述されている。バラーズリーは，9世紀中葉のアッバース朝盛期の宮廷人であったが，本書の目的は，大征服による統一国家の形成を跡づけることにあった。

国際関係

　『諸国征服史』には，「地中海の島々の征服」の節がある。シチリアに侵攻した将軍は，宝玉で飾った金や銀の偶像を多数獲得し，これをウマイヤ朝カリフのムアーウィヤに献上し，カリフはこれをイラクのバスラに転送して，インドで高値で売らんとしたという。イスラーム国家が，地中海からインド洋へと連なる国際交易のネットワークのなかで動いていたことを示すエピソードといえる。

　8世紀初めにイベリア半島に進出したアラブ・イスラーム軍は，トゥール・ポワティエ間の戦いにおいて，フランク王国軍に敗れた。他方で，フランク王国はアッバース朝と外交関係を保ち，カール大帝は，カリフのハールーン・アッラシード（在位786〜809）と使節を交わし，カリフは，水時計，織物，香水セット，さらにはアフリカ象を贈ったという。また，スウェーデンでは，大量のアラビア文字が刻印された銀貨が出土し，8〜10世紀にはアッバース朝とヴァイキング商人との間の交易が盛んになり，北欧からは奴隷，毛皮，琥珀などが輸入された。

ユーラシアの普遍国家

　8世紀前半に，アッバース朝のもとで，法学者（ウラマー）によって，イスラーム法学の方法論（コーランとハディース，法学者の合意と推論による）が定まり，イスラーム法（シャリーア）の体系化がなされた。シャリーアは，神と人間の関係を律するイバーダート（宗教儀礼）と，人間同士の関係を律するムアーマラートからなり，後者は，家族法，財産法，商法，刑法，

図1　イブン・ハウカル（10世紀）の世界図（『大地の姿』所収）　上方が南で，上半分がアフリカ大陸で，中央にナイル川が描かれている。

行政法にあたる。法学者が著した法学書が法典として扱われるが，理念上は，シャリーアはあくまで神が授けたもので，それを発見し解釈し適用するのは，法学者や人間の仕事であり，法の解釈も適用も，時代や状況によって変わりうる。統治者や行政官の任務は，カリフであれ軍人であれ，臣民の信任をうけて，シャリーアに基づいて公正な（アドル）統治をすることであり，逸脱があれば，不正（ズルム）として糾弾され，罷免・退位させられた。イスラーム国家の起点は，信徒や臣民の「契約」に拠っていたからである。他方で，統治者の資格をめぐって対立や分派も生じたが（シーア派など），このような考え方は，諸政権に分立した中近世の時代にも通貫している。

■　■　■

　7～8世紀のユーラシアを見渡すと，ヨーロッパでは，ゲルマンの大移動をへて，フランク王国（のち神聖ローマ帝国）とビザンツ帝国が，東アジアでは，遊牧諸民族が進入した南北朝時代をへて隋唐帝国によって国制が整えられた。前者ではローマ法や教会法が，後者では律令が基本法となり，統治者（皇帝）は，神の意をうけ，法規範に基づき統治を行い，法曹が輩出した。このようにみるならば，征服活動をへて整備されたイスラーム国家は，この時代の共通の事象として捉えるべきであり，その意味でユーラシアはつながっていたのである。

■参考文献

イブン・イスハーク著, イブン・ヒシャーム編註（後藤明・医王秀行・高田康一・高野太輔訳）『預言者ムハンマド伝』全4巻, 岩波書店, 2010～2012

バラーズリー（花田宇秋訳）『諸国征服史』全3巻, 岩波書店, 2012～2014

三浦徹編『歴史の転換期3　750年　普遍世界の鼎立』山川出版社, 2020

国際都市　平城京

稲田 奈津子

▌大仏につながる人びと

　天平勝宝4（752）年4月9日，奈良の都では史上稀にみる一大イベントが開催されていた。現在も東大寺に鎮座する盧舎那仏像，いわゆる「奈良の大仏」の開眼供養会（完成した仏像に筆で黒眼を描き込み, 魂を吹き込む儀式）である。この大仏は，仏教に深く傾倒した聖武天皇（701〜756，在位724〜749）が発願したもので，その完成式典である開眼供養会には発願者である聖武太上天皇と妻の光明皇太后（701〜760），彼らの娘で天皇位をひきついだ孝謙天皇（718〜770，在位749〜758）も臨席し，朝廷に仕える役人たちや1万名にもおよぶ僧侶たちも参列していた。

　当日は華やかに装飾された大仏殿を舞台に，多くの正装した参列者たちが見守るなか，儀式がくりひろげられた。まずは開眼師となった菩提僊那（704〜760）の登場である。彼は婆羅門僧正とも称されるように，南インドのバラモン出身で，唐に滞在していたところを日本からの遣唐使の要請を受け，道璿（唐僧）や仏哲（林邑僧，林邑は現在のベトナム）とともに来日したという人物である。彼が五色の紐が結びつけられた大きな筆を手にとり，大仏に眼を描きこむと，参列者たちもその筆に結びつけられた紐を手にとり，開眼の功徳に与かった（図1）。ついで講師・読師が高座に昇って『華厳経』を講説すると，門外に控えていた衆僧・沙弥も入場し，大安寺・薬師寺・元興寺・興福寺の四大寺が種々の珍しい品々を大仏に献上したという。その具体的な物品名を知ることはできないが，史料には「奇異物」と記されており，外国から入手した珍奇で貴重な品々も含まれていたことであろう。

図1　開眼供養会に使用された筆と紐（正倉院宝物）

　ついで楽人たちが演奏をしながら入場し，種々の楽舞が次々と演じられて，儀式はいよいよ盛り上がりをみせる。度羅（東南アジアや中央アジアなど諸説ある）楽とともに入場した僧侶たちが列をなして会場を練り歩いた後，宮廷に伝わる大歌・大御舞，そして国内諸勢力の服属儀礼である久米舞・楯伏舞が演じられ，ついで踏歌・唐楽・高麗（朝鮮北部）楽・林邑楽など，諸外国から伝わった楽舞が次々と演じられたのである。こうして，歴史書『続日本紀』に「仏法が日本に伝えられて以来，これほど盛んな斎会はなかった」と記された開眼供養会が幕を閉じたのである。

　このように，開眼供養会は単に華やかなだけでなく，外国僧に儀式の中心的な役割を担わせたり，諸外国から伝来した楽舞が演じられたりと，国際性が強調された儀式であった。この点について，天皇を中心とした中華意識にもとづく帝国観を背景に，周辺諸国がこぞって大仏，そして天皇の都へと駆けつけたとする，戦略的な演出であったとの評価がなされている。一方で，この大仏が完成するにいたるまで，たとえば造営指揮を担った国中連公麻呂や，大仏鍍金のための金産出に貢献した百済王敬福は，百済からの渡来系氏族の出身であり，『華厳経』を講じて思想面から大仏造営を支えた審祥は新羅への留学経験をもつ僧であるなど，諸外国とのつながりが実際に大きな役割を果たした事実も見逃すことはできない。開眼供養

会には間に合わなかったが，同年6月には新羅王子・金泰廉も来日して大
仏に拝礼している。開眼供養会は，平城京に集まった諸外国からの先進的
な知識・文物を総動員してはじめて実現したイベントだったのである。

正倉院宝物のなかの舶載品

　開眼供養会に用いられた様々な物品，たとえば種々の楽舞の衣装などは，
実は一部現存している。東大寺旧境内に今も残る奈良時代の大型倉庫（正倉
院宝庫）に残された宝物のなかに含まれているのである（図2）。

　開眼供養会の4年後に聖武太上天皇が没すると，その七七忌（四十九日）
に際して，妻の光明皇太后が生前の愛用品など六百数十点にもおよぶ品々
を大仏に奉献した。これが現代に伝わる正倉院宝物の中核となっている。
他にも，光明皇太后が病人に分け与えるようにと献納した薬剤や，追加奉
献された宝物，東大寺が法会に用いるなど寺内で管理していた品々も加わ
り，一方で宝庫から取り
出されて戻らなかったも
のもあるが，現在では約
9000点の宝物が伝わっ
ている。そのなかには外
国からもたらされた多様
な舶載品も含まれてい
る。

　たとえば瑠璃坏（中倉
70）は教科書でもおなじ
みの一品だが，ペルシア
製の紺色のアルカリ石灰
ガラスの本体に，銀製鍍
金の脚が付けられてい
る。本体部分については，
韓国慶尚北道漆谷に所
在する松林寺の五層磚塔

図2　開眼供養会で使用された唐楽の衣装（正倉院宝
物）

図3-1　瑠璃坏（正倉院宝物）
図3-2　松林寺五層磚塔舍利 荘 厳具（韓国国立大邱博物館蔵）

から発見された舎利容器（統一新羅，8世紀のものとされる）が，色違いだが同様の形状をしていることが注目される（図3）。脚部については，施された文様から百済製との説も出されている。遠くペルシアから朝鮮半島に運び込まれたガラスの器のうち，あるものは統一新羅期に舎利容器として用いられ，あるものは脚部を取り付けて日本へと輸出されたということだろう。他にも正倉院宝物のなかには，銘文や成分分析等から中国や新羅で製作されたことが判明するものも多く，また薬剤や香料の産地は東南アジアやインド・イランなど広域にわたっている。

　ただし注意しなくてはならないのは，正倉院宝物のうちで外国製品が占める割合は5％未満とされており，その多くは国産品であるということ，また宝物に用いられた素材や薬剤の産地は広域にわたるものの，それらはいずれも唐や新羅との外交や交易を介してもたらされているということである。正倉院宝物にみられる国際性は，あくまでも唐の交易圏の広がりを示すものであり，「シルクロードの終着駅」は平城京ではなく，唐の都である長安なのである。西域からの交易商人が定住して居住区を形成している長安に比べれば，平城京を訪れる外国人の数は限定的であり，外国との接点も限られていたと言えよう。

　2009年に西大寺旧境内で発見されたイスラーム陶器片は，一緒に出土した墨書土器や木簡の記述から8世紀のものであるとして注目を集めた。というのも，これまでの国内におけるイスラーム陶器の出土例は，大宰府（現

在の福岡県に置かれた地方官庁で，外交や交易の拠点となった）周辺を中心に，しかも交易の盛んになった9世紀以降のものに限られており，それに先行する時期に京内に西アジア産の文物がもたらされていたことになるからである。しかし，これも決してイスラーム商人と直接の交渉があったことを示すものではなく，新羅を介した外交ルートでもたらされたものと推測されている。法隆寺旧蔵の宝物のなかには，アジアの熱帯産の香木に，パフラヴィー文字（ササン朝ペルシアの文字）の刻銘やソグド文字の焼印が捺されたものがあるが，これもペルシア人やソグド商人の手を経て中国にもたらされた貿易品が，唐を介して日本に運び込まれたものとされている。残された文物の国際性が，そのまま当時の日本の国際性を反映しているわけではないのである。

基層に浸み込む国際性

　しかし数量的には限られていたとしても，外国からの文物・人材の流入は，古代日本社会に大きな影響を与えたことは間違いない。その代表的なものとしては，律令制の整備があげられるだろう。

　律令制とは，中国由来の法典である「律令」を基盤とした国家システムのことである。日本では7世紀後半から8世紀にかけて，大宝律令や養老律令など，あいついで律令が制定され，急速に中央集権国家の形成が進められた。これらは基本的に唐の律令を模倣したもので，日本の実情をふまえて改変した部分もあるが，大枠としては中国風の新しい制度・礼式をそのまま取り入れることになった。律令には国家支配に関わる内容だけでなく，たとえば衣服や葬儀など，人びとの日常に関わる規定も多く含まれている。こうした規定のもとで官人層を中心に，服装や冠婚葬祭までもが徐々に唐風化していったのである。

　つぎに写経に注目してみよう。印刷技術のない当時，中国や朝鮮半島からもたらされた仏教経典は，書写することによって広く共有された。東大寺には「写経所」と呼ばれる写経専門の国家的な役所も設置され，専門の役人によって大量の経典が書写された。書写された経典は天皇家周辺や京内外の寺々に納められて活用されたが，写経所で研鑽を積んだ写経生が地

元の寺のための写経にも携わるなど，地方社会にまでその影響力が及んでいたことが知られる。外国からもたらされた文物・情報が，わずか数年で地方にまで伝播していたことがわかる事例もあり，古代における情報伝達は思いのほか早く，また深く浸透していたのである。

　平城京の国際性を考えるとき，そこには一定の限界があったことは間違いない。長安のように多様な民族が行き交う空間にはなりえなかったし，国際的な貿易商人が活躍する時代にもまだ遠く，外交ルートを中心にわずかな文物・人材が往来するにとどまっていた。しかし，そのわずかな情報が国内に与えた影響の大きさで言うならば，決して他時代に劣ることはなかったのである。平城京やそこに住む人びとの姿は，現代人が想像する「日本古来の伝統」とはかなり違った，国際色に溢れるエキゾチックな姿であったに違いない。

■参考文献
飯田剛彦「東アジアのなかの正倉院宝物」鈴木靖民・金子修一・田中史生・李成市編『日本古代交流史入門』勉誠出版，2017
飯田剛彦「正倉院」高久健二・田中史生・浜田久美子編『古代日本対外交流史事典』八木書店，2021
河内春人「西大寺出土イスラム陶器の流通」『明大アジア史論集』18号，2014
栄原永遠男「大仏開眼会の構造とその政治的意義」『都市文化研究』2号，2003
東野治之『遣唐使船─東アジアのなかで』朝日選書，1999

上総の「望陀布」

廣川 みどり

校歌の謎を探って

千葉県内の公立高校で二つだけある女子高の一つ，木更津東高校（1910年設立）の校歌に「もうだのさよみ織りし子の明き心を身につけて……」という歌詞（1953年制定）がある。行事の度に二部合唱で歌った「もうだのさよみ」とは何か，卒業生有志が謎を探った記録が『木更津東高等学校創立百年史』にある。「もうだ」は高校がある地域の古代の郡名「望陀」，「さよみ」は「貲布」と書くが，狭い糸目を数えるという意味だという。彼女たちはもう失われてしまった古代の望陀布について調べた。その結果，朝廷行事になくてはならなかった「望陀布」，遣唐使が皇帝に献上した「望陀布」に行きつき，改めて母校への誇りを持ち続けたいとまとめている。読み方さえもままならない望陀布は，現代と古代をつなぎ，さらに遣唐使を通じて千葉県の一地方を奈良時代の都や遠く長安へもつなげるのである。

特別な布——美濃絁と望陀布

中学校で学ぶ遣唐使。遠い昔のできごとで，自分たちとは縁もゆかりもない歴史上の事柄だと思ったら大間違い。彼らが中国皇帝に献上したものは，日本の各地から集められた品々だった。律令の施行細則を集大成した法典『延喜式』には，唐への贈答品リストが書かれており，銀や絹製品，麻布，水晶，メノウ，海石榴油，金漆などが並んでいる。そのほとんどが律令制下の調や庸として地方から集められた租税で，銀は対馬，海石榴油は因幡や壱岐，金漆は美濃や讃岐などから徴収されていた。『延喜式』は10世紀の史料であり，すでに遣唐使は廃止され，907年に唐は滅びている。

ここに記された品は，いつのものなのだろうか。中国側の史料を見てみよう。唐や五代史の研究において基本史料となる『冊府元亀』の開元22（734）年の記事に，日本からの使者が持参した品名と数が記され，『延喜式』の記述と一致する品々がある。つまり，『延喜式』の記載は8世紀頃に中国皇帝へ献上されたものだと推測される。

　のちの日宋貿易の時代になると，扇や刀，蒔絵などの工芸品等も日本から中国へ運ばれたが，遣唐使の頃は一次産品や単純加工品が多かった。唐から漢籍や仏教経典，仏像などの工芸品が流入した一方で，当時の日本には手の込んだ製品を輸出する力はなかった。

　さて，遣唐使が持参した献上品の布のなかで，わざわざ地名を冠した特別なものが二つ記述されている。「美濃絁」と「望陀布」だ。ともに他国と比べて優れたものだったと考えられる。絁はあしぎぬと読み，絹織物の一つでふつう太い糸で織った粗い布をいう。一方の望陀布は，現在の千葉県木更津市・袖ケ浦市周辺にあたる上総国の望陀郡産の織物である。残念ながら，望陀布の現物は残っていない。その素材については，シナノキの皮を細く紡いで織ったという説，アサ科の一年草である大麻の茎からとった

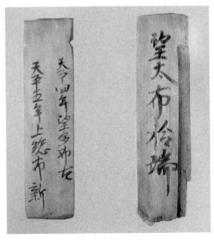

図1　平城宮跡出土の木簡（複製，袖ケ浦市郷土博物館蔵。原資料：独立行政法人国立文化財機構奈良文化財研究所）

  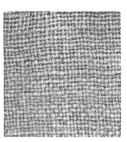

上総国調賞布 　　　　信濃国調庸布 　　　　武蔵国庸布

図2　奈良時代の布の織り密度（正倉院宝物，布目順郎『絹と布の考古学』雄山閣出版より転載）

繊維で織ったという説，さらにはイラクサ科の多年草苧麻（苧ともいう）の表皮の繊維から織ったという説がある。綿織物が日本で広がるのは室町時代以降で，それ以前は，布といえば大麻や苧麻などの植物繊維を用いたものが多く，総称して麻と呼んだ。平城宮跡出土の木簡には，字が一部異なるが「天平4（732）年望多布古」や「望太布拾端」と書かれたものが残っている（図1）。

　望陀布は，2尺8寸（約83cm）という幅広の布で，他地域の布の織幅が2尺4寸なのとは違い，約12cm長いのだ。織り目が細かく，上質で高価な布であった。布目順郎氏によると，正倉院が所蔵する奈良時代の布には国銘とともに調布，調庸布，庸布，調賞布，交易布などの墨書があるという。それらの布の織り密度を測定した彼は，1cm²あたりの経糸と緯糸の本数について具体的に書いている。上総国調賞布は経22本×緯21本，信濃国調庸布は経13本×緯11本，武蔵国庸布は経8本×緯8本である。上総の調として納められた望陀布もまた，目が詰まったしなやかな布だったに違いない。目が粗いものは丈夫で安価なため，日常使いには重宝されたようだ。

▌美濃絁と望陀布は，どう使われたのか

　特別な二つの布は，いわば当時のブランドものである。用途について考えてみよう。朝廷の儀式では，これらがセットで用いられた。天皇が即位後はじめて行う新嘗祭である大嘗祭において，美濃絁は天皇の服や神の寝座の掛け布団と枕に使われ，望陀布は室内を隔てる垂れ幕（帷）と戸口の垂

れ布（幌）に用いられた。大嘗祭は天皇一代に一度きりの大祭で，新穀を神にささげる。神を迎えるため，美濃絁を使った寝座が用意され，望陀布を用いた垂れ幕や布が神の座を囲うという重要な役割を果たしたのである。

　望陀布の使途を正倉院文書や『延喜式』から探った河名勉氏は，売却して官司運営費として必要な物品購入にあてたり，衣料品に利用したりしたことを明らかにした。さらに特定の使途として，平常時には新嘗祭や賀茂祭などの神の儀式や祭祀に活用され，臨時の用途として大嘗祭と仁王会の祭祀で使われたり，唐の皇帝への献上品とされたりしたのである。

　さらに，中国の史書『旧唐書』の日本国伝の記述にも注目したい。そこには玄宗（在位712〜756）の治世の初めに遣唐使にしたがって来朝した人物が唐の学校へ入学する際，幅の広い布（闊幅布）を贈って入学の謝礼としたことが述べられている。宮原武夫氏は，この人物を吉備真備（695〜775）と推定し，遣唐使が持参した幅広の布は望陀布以外には考えられないと述べている。だとすれば，真備は望陀布を授業料として唐で学び，有り金をはたいて漢籍を持ち帰ったのである。真備が持ち帰った書物は中国文化全般に及ぶものだった。かつて千葉県の一地方で織られた布が，遠い異国の地で新しい文化を摂取するための助けとなったとしたら，たいへん名誉あることである。

望陀布の復元をめざして

　袖ケ浦市郷土博物館（入場無料）では，1997年に望陀布の復元を試み，現在もその展示を見ることができる。なぜ，そんな企画が持ち上がったのだろうか。このとき博物館が開館15周年を迎えて展示内容を一新することになり，歴史展示では「かつての袖ケ浦の一シーン」をあらわす模型を作って，その時代の袖ケ浦を印象づけようとした。古代を担当した井口崇氏は「古代の道を，都へと調庸物等の税を運ぶムラ人（運脚夫）とその監督にあたる官人が，通り過ぎていく。その傍らではムラの長が，火葬によって送られている」というシーンを設定した。そして，運脚夫が背負う荷を望陀布としたのである。模型では望陀布を見ることができないので，そばに復元した望陀布を置こうということになったのである。

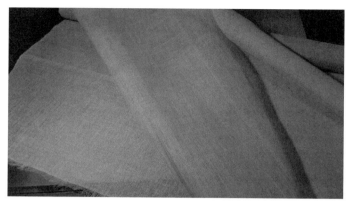

図3　復元した大麻布(下)**と苧麻布**(袖ケ浦市郷土博物館蔵)

　博物館では，一般の調として納められた布より4寸幅広の2尺8寸の織り布を依頼した。素材は苧麻の調達が困難だという業者の話で，大麻とした。高品質で高価な布を想定し，染色は行わず，経糸と緯糸の本数は1cm²あたり22本という指示を出したそうだ。しかし，できた布は1cm²あたり経糸22本×緯糸15本であった。業者の話では，緯糸をこれ以上無理に入れようとすると糸が切れてしまう，ということだった。博物館と，布の製作を依頼された業者やその下請け業者，さらに実際に手織りした職人という関係があって，製作意図や望陀布に関する情報がなかなか伝わらず満足のいくものではなかったという。

　実はこの企画には続きがある。何としても素材を苧麻にしたいと考え，第2次計画をたてたのである。「魏志倭人伝」にも記述がある苧麻は，かつては日本各地で栽培され衣類の材料となっていたが，その工程は手間がかかり，今では生産地は少なく，本州唯一の産地である福島県大沼郡の昭和村と沖縄県の宮古島に残るくらいである。この福島県の「昭和村からむし生産技術保存協会」に協力を仰ぎ，苧麻での布作りに再チャレンジした。1cm²あたり20本×20本以上の試作品はできたが，一様な布は織れず，奈良時代の機織り技術への到達は難しいようである。今も博物館の一画に苧麻を植えつつ行う，望陀布の復元への想いは素晴らしい。

　失われてしまった望陀布は，千数百年前，上総の国の一地域にすぎない

図4 袖ケ浦市郷土博物館の傍らに
植えられた苧麻

望陀郡で私たちの祖先たちが高い技術を伝承しつつ，重要な役割を担った。
名も知らぬ人々が紡ぎ織った布が古代国家の礎となり，海を越えて中国と
も交流していたことを思うと，地域や時代を超えて心躍るものがある。

■参考文献
井口崇「望陀布の復元に関する覚書」『千葉史学』32号，1998
河名勉「望陀布の生産と使途」『日本歴史』826号，2017
東野治之『遣唐使と正倉院』岩波書店，1992
宮原武夫『古代東国の調庸と農民』岩田書院，2014

訳経僧霊仙

榎本 渉

「霊仙」の発見

　1913年，多くの古典籍を伝える滋賀県の名刹石山寺で，『大乗本生心地観経』（以下，『心地観経』）の古写本が発見された。『心地観経』は師子国（今のスリランカ）から唐の高宗（在位649〜683）に献上されて以来，長く唐の宮中に秘蔵されたが，810年に憲宗（在位805〜820）によってインドの原語から漢語に翻訳することが命じられた（完成は翌年）。石山寺の写本で注目されたのは，訳経メンバーを列挙した奥書の内の「醴泉寺日本国沙門霊仙，筆受幷びに訳語」の1行である（図1，右から2行目）。ここから唐の都長安の醴泉寺にいた日本僧霊仙（生没年不詳）が，『心地観経』の漢訳で「筆受」「訳語」の任を務めたことが判明する。

　訳場で訳主を務めた罽賓国（今のアフガニスタン北東部のカーピシー）の般若は，782年に長安に至って以来，唐の訳経事業にたずさわった僧である。ただし訳主の役割は経典を原語で読み上げることであり，その単語を漢語に置き換え（訳語）紙に書き留める（筆受）作業は霊仙が担当した。訳場には他に6人の唐僧と8人の官人が参加し，単語を漢語として自然な語順に並び替える作業や加筆・確認等の作業を担当したが，霊仙の務めた訳語・筆受は訳主に次ぐ重要な役割とされた。霊仙が漢語のみならずインドの言葉さえも使いこなす高い言語能力を持っていたことがうかがえる。

　般若は醴泉寺で外国僧の教育に関わったようで，たとえば霊仙と一緒に入唐した空海（774〜835）は，醴泉寺で般若と牟尼室利より南インドのバラモンの説を学んだと，自ら書き記している。霊仙も醴泉寺で般若に師事していた可能性が高く，語学の習得もそこで行なわれたのだろう。いずれ

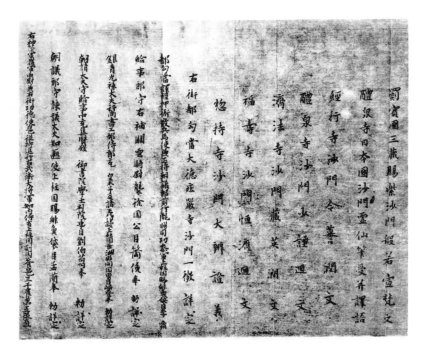

図1　滋賀県石山寺所蔵『大乗本生心地観経』奥書（『石山写経選』収録。国立国会図書館デジタルコレクション）

にせよ仏典漢訳に関わったことが知られる日本僧は史上霊仙以外におらず，その意味で『心地観経』の古写本は仏教史上でも重要な発見だった。

　霊仙の訳経の事跡は，平安時代には知られていた。たとえば天台僧源信（942〜1017）は『一乗要訣』巻下で，『心地観経』に関する不審点を挙げ，筆受の霊仙が不正確に翻訳したことを原因として推測している。源信は『心地観経』奥書から，霊仙が訳経に参加したことを知っていたのだろう。東大寺僧の奝然（ちょうねん）（938〜1016）が983年に入宋して太宗（在位976〜997）に進上した『王年代記』にも，入唐僧霊仙のことが記されていた（『宋史』巻481，日本国伝）。だが帰国せず日本で活躍することがなかった霊仙の事跡は，後世には忘れ去られたようで，江戸時代に1600人以上の僧侶の伝記を集成した『本朝高僧伝』にも霊仙の伝記はない。

　『一乗要訣』に拠れば，霊仙は奈良興福寺で法相宗を学んでいた。霊仙に

ついてはこの程度の基礎情報でさえ，他の史料からは知ることができない。出生地・生没年なども不明である。だが『心地観経』の発見を機に関係史料の捜索が進められ，その成果は 1931 年に仏教学者の高楠順次郎（1866 〜 1945）によって，「霊仙三蔵行歴考」と題する史料集として発表された（『大日本仏教全書』113 巻に収録）。以下では，この史料集およびその後の研究成果に依拠しつつ，霊仙の活動を追ってみたい。

▌留学の足跡

　『王年代記』は霊仙の入唐を光仁天皇（在位 770 〜 781）の 24 年とするが，光仁の在位は 12 年しかない。次の桓武天皇（在位 781 〜 806）の即位 24 年目，804 年の誤であろう。この年には，延暦度遣唐使が唐に至っている。興福寺僧慈蘊の著『法相髄脳』の奥書に，この本が 803 年に霊船（仙）に託され唐に送られたと記されるのも傍証になる（延暦度遣唐使は 803 年に出航したが難破し，翌年改めて再出航）。霊仙は本書の内容について唐僧から意見を聞いてくることを，同門の僧より期待されたようだ。同様の依頼は他にもあった可能性がある。

　遣唐使には，外交使節としての側面と文化習得の使者としての側面があり，僧侶は主に後者の目的で入唐した。入唐僧には遣唐使一行とともに帰国する請益僧とその後も唐に残る留学僧の別がある。霊仙は後者の資格で入唐し，遣唐使の帰国後も唐に残留した。この時の遣唐使船で入唐した著名な僧に，最澄（766 〜 822）と空海がいた。後に天台宗と真言宗を開くことになる二人である。最澄は請益僧だったので，遣唐使一行とともに 805 年に帰国したが，空海も留学僧であるにもかかわらず，806 年に帰国した。遣唐使は通常 20 年前後の周期で派遣されたが，延暦度遣唐使の帰国直後には，高 階 遠成を代表者とする小規模な遣唐使船が改めて派遣された（事情は不明）。この時留学中の空海と 橘 逸勢（？〜 842）から早期帰国の希望を伝えられた遠成は，憲宗の許可を得て彼らを連れ帰った。霊仙もこれに同行することはできたはずだが，あえて留まることを選んだらしい。その結果空海と逸勢は日本で活躍し後世まで名を残した一方，霊仙は『心地観経』発見まで長く忘れられる存在となった。

図2　9世紀前半の東アジア

　霊仙は長安で『心地観経』の漢訳を行なった後（他にも漢訳した仏典はあっただろう），憲宗が暗殺された 820 年に五臺山に移った。五臺山は唐代に著名になった文殊菩薩の聖地で，822 年頃成立と見られる『日本霊異記』に登場するように，日本でも知られていたが，実際に五臺山に行ったことが分かる最初の日本人は霊仙である。

　霊仙の五臺山での具体的な活動が日本に伝えられたのは，その死後のことだった。838 年の承和度遣唐使の一行として入唐した円行（799〜852）は，長安に上京した時に霊仙の弟子に会い，2700 粒の仏舎利と梵夾（インドの仏典）を託された。円行はこの時，霊仙生前の活動や五臺山の情報を聞いたことだろう。円行は 839 年に帰国して，唐で入手した仏典・仏具を朝廷に提出したが，霊仙や五臺山の情報も同時に報告したと考えられる。この翌年，太皇太后の橘嘉智子（786〜850）は新羅商船の帰国便を利用して，五臺山に僧侶を派遣し布施物を納めたが，これは円行から得た五臺山の情報を前提とした行動に違いない。これ以後日本からは，商船に乗って五臺山を目指し入唐する僧侶が相次いで現れる。霊仙の活動は間接的に，日本人の五臺山信仰を導くきっかけになったのである（図2）。

アジアの中の霊仙

　話を霊仙生前に巻き戻そう。唐に残った霊仙のことは朝廷も気にかけており，淳和天皇（在位823〜833）は824年，霊仙のもとに黄金100両を送っている。この頃は延暦度遣唐使以来，派遣周期である20年を迎えていたが，まだ新たな派遣計画は立ち上がっていなかった。そのため霊仙の滞在費が不足する可能性を考えたのかもしれない。この黄金は，来日した渤海の使者の帰国便に託され，さらに渤海の遣唐使によって長安に届けられた。これを五臺山に送り届けたのは，貞素という渤海僧である。長安に留学していた僧だろう。

　825年，霊仙は貞素から黄金を受け取ると，仏舎利1万粒・新経2部・造勅（誥勅の誤で，唐の皇帝による任命書か）5通などを貞素に託して日本に

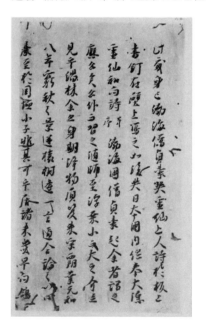

図3　京都観智院所蔵『入唐求法巡礼行記』巻3（開成5年7月3日条）（国立国会図書館デジタルコレクション）　霊仙の死を嘆いた貞素の詩とその序文を引用した部分。

送らせ，これに報いた。貞素は渤海に帰国し，同年末に渤海の使者の一員として来日して，これらを届けた。なお霊仙が送った新経2部には，『心地観経』が含まれる可能性が高い。空海は828年，『心地観経』の所説を踏まえた文章を書いており，日本に来たばかりの『心地観経』を読んでいたと見られる。霊仙の送った仏典は唐仏教界最新の成果として，日本仏教界で注目されたのだろう。

　淳和天皇も霊仙の進物に感心したものか，追加で黄金100両を貞素に託して，再度送らせた。ところが貞素が五臺山に再来した828年，すでに霊仙は亡くなっていた。840年に五臺山を訪れた天台僧円仁（749〜864）は，霊仙が毒殺された話を書

き留めているが，この事態に至った事情は分からない。この情報が渤海使を通じて日本に届けられたのは841年，円仁が日本に帰国して見聞を伝えたのは847年のことだった（図3）。

　この当時，日本が唐との間で直接交流を行なう機会は遣唐使派遣の時に限られたが，それを補うものとして，新羅や渤海の使者を通じて連絡を取るという手段があった。またこうした国家間の関係に加えて，国籍を越えた僧侶間の関係も重要だった。貞素は親しい知人の一人が霊仙の弟子だったことを述べている。貞素が霊仙との連絡役に選ばれたのは，この人脈があったからだろう。五臺山はアジア各地の僧が集まる大霊場であり，そこではしばしば国籍を越えた人脈が形成された。その人脈には，日本僧や渤海僧も含まれていたのである。

　また罽賓国出身の般若を中心とする訳経場に霊仙や唐僧が配置されたことから分かるように，唐の都長安もやはり多様な出自の僧が接触する場であった。般若はかつてカシミールなど西域に派遣された経験を持ち，長安のペルシア人キリスト教徒アダム（景浄）との交流も知られる。その教えは空海の帰国によって日本にもたらされた。留学僧が唐で学んだものは，必ずしも狭義の「中国仏教」に留まるものではなかった。そしてそれが可能となったのは，唐という巨大国家の求心性と仏教の国際性ゆえであった。

■参考文献
石井正敏『日本渤海関係史の研究』吉川弘文館，2001
鎌田茂雄『中国仏教史6　隋唐の仏教（下）』東京大学出版会，1999
船山徹『仏典はどう漢訳されたのか』岩波書店，2013
堀池春峰『南都仏教史の研究（下）諸寺篇』法蔵館，1982
頼富本宏「入唐僧霊仙三蔵」『木村武夫教授古稀記念　僧伝の研究』永田文昌堂，1981

世界につながる唐帝国

妹尾 達彦

ユーラシア交通網の形成と唐帝国の誕生

7〜8世紀のユーラシア大陸を彩るできごとは，農業地域と遊牧地域を包含する大きな国家，すなわち，農牧複合国家の誕生と，仏教圏やイスラーム教圏，キリスト教圏などの普遍宗教圏（世界宗教圏）の形成である。生業の異なる地域を統合する大きな帝国と宗教圏の出現は，広域の幹線交通網の整備を促して人と物産の交流を活性化し，人々の生活を変容させていく。7〜8世紀のユーラシア大陸は，4〜6世紀の戦乱と分裂の時期を通過することで，歴史の新しい段階を迎えるのである。

ユーラシア大陸東部（東アジア）では，6世紀末に中国大陸が約3世紀ぶりに隋（581〜618）によって再統一され，現在に継承される行政交通網が整備された。隋の大運河の開鑿は，ユーラシア大陸東部を南北に連結する新たな幹線交通路となり，現代の北京と杭州をつなぐ京杭運河に継承される。隋を継いだ唐（618〜690,705〜907）や，武則天（則天武后，624？〜705）が皇帝となった周（690〜705）も，軍事・経済・文化政策の動脈としての交通網の整備を心がけた。7〜8世紀に，インド伝来の仏教がユーラシア大陸東部に広く定着し，社会に深く受容されていくのも，広域の交通網が存在したからである。この時期のユーラシア大陸東部では，為政者から民衆にいたる広い階層の男女に仏教の信仰が浸透していった。

ユーラシア大陸中央部では，ウマイヤ朝（661〜750）とアッバース朝（750〜1258）が領域を広げ，イスラーム教圏が確立した。ユーラシア大陸の地域統合の二つの核となったイスラーム帝国と唐帝国は，外交関係を保ち経済交流を進め，従来にない安定したユーラシア世界を構築した。また，仏

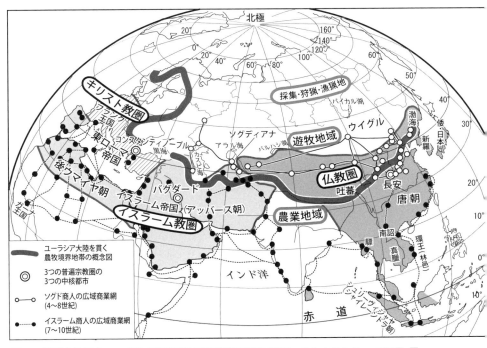

図1　普遍宗教圏とユーラシア交通網の形成（妹尾達彦『グローバル・ヒストリー』103頁，図43を改図）

　教圏やイスラーム教圏と並行してヒンドゥー教圏もインド中南部から東南アジアに拡張し，東南アジアの王権をささえる基盤の一つとなった。

　ユーラシア大陸西部では，4世紀以来のゲルマン諸部族の移動が一段落し，フランク王国（5世紀末～9世紀）がキリスト教を受容することで，東ローマ帝国（395～1453）とともに欧州の大半がキリスト教圏に入った。東ローマ帝国から現在のロシアや東欧が生まれ，フランク王国から今日の西欧諸国（フランス・ドイツ・イタリア等）が生まれたように，ウマイヤ朝およびアッバース朝の統治体制が現在のイスラーム諸国家の原型となり，唐とその隣接国家から現在の東アジア諸国家が誕生するのである。

普遍宗教がつくる新しい人間関係

　普遍宗教圏の誕生は，近代社会を生みだす契機の一つとなった。図2で

概念化したように，普遍宗教圏における神 God や，アッラー Allāh, 仏法（真理）dharma という普遍概念の共有によって，初めて，人々の間に，「普遍のもとでの平等」という近代思想の源流が生まれるからである。集団の救済ではなく個人を救済する普遍宗教の普及とともに，身分や共同体からの人間の相対的な自立がもたらされ，個人意識が育まれた。

　普遍宗教の社会への浸透は，身分制・貴族制から個人の業績にもとづく社会への転換を促進し，階層間の流動性を高めた。それまでは周縁の存在だった宗教者が，国師として尊敬される社会が生まれ，中国においては，高等文官資格試験である科挙が始まるのである。7〜8世紀には，それまでの歴史では表舞台に現れなかった類型の人物たちが，歴史を動かす主役となって次々と登場する。仏教信者の広範な支持を得ることで，初めて，中国史上唯一の女性皇帝となることのできた武則天や，インドから将来した仏典の新しい翻訳と解釈にもとづき，従来の中国仏教の通念，すなわち，

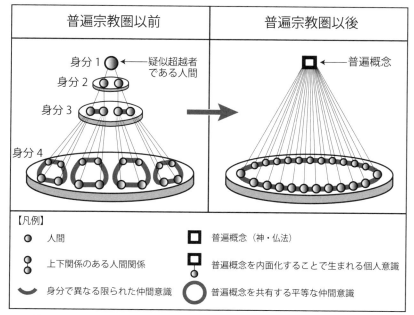

図2　普遍宗教がつくる新しい人間関係（妹尾達彦『グローバル・ヒストリー』20頁, 図4を改図）

「すべての人々の心に仏になる仏性がある（一切衆生悉有仏性）」とする思想に疑問を提起し，仏教認識を一段と深化させた玄奘（602〜664），身分制社会から業績主義社会への転換期を苦しみながら生きたことで，世界文学の詩聖となった杜甫（712〜770）などは，この時期を象徴する人物たちである。

ユーラシア大陸東部の都城時代

　唐帝国の出現と都城の長安を中核とする行政都市網と統治空間の拡大は，隣接する地域に強い緊張をもたらし，唐と対抗する政治組織と外交機能をもつ国家の建設を進めることになった。唐の成立とともに，7〜8世紀の東アジアの各地域に新たな国家と都城が建造され，都城を核とする各国の幹線交通網が連結して緊密な往来と外交が可能となり，現在の東アジア国際関係の原型がつくられたのである。

　583年，隋が今まで使用してきた漢長安城の東南部に新たに大興城を建造したことが起点となり，605年には洛陽城を建造し，吐蕃は7世紀前半にラサ，日本は667年に近江京，694年に藤原京，710年に平城京，740年に恭仁京，744年に難波京（後期難波京），784年に長岡京，794年に平安京，南詔は738年に太和，779年に陽苴咩（大理），ウイグルは8世紀前半にオルド・バリク（回鶻単于城），渤海は7世紀末に旧国，8世紀に上京・中京・東京・南京・西京の五京を次々と建造・整備した。676年に朝鮮半島を統一した新羅は，唐長安や周神都（洛陽）を意識して金城の整備にとりかかった。ここに，東アジアにおける都城の時代が誕生する。これらの都城の多くは，仏法にもとづき理想的な統治を行う，転輪聖王としての君主が君臨する理想都市だった。オルド・バリクには，仏教と同様な普遍宗教であるマニ教の司教座がおかれた。

　7〜8世紀のユーラシア大陸東部を考える際に注意すべきは，武則天の周の建国（609〜705）によって，唐が一時期断絶したことである。武則天は，655年に高宗の皇后になって以来，半世紀にわたって中国の政権中枢に居続けた。周は，女性を皇帝に戴く初めての王朝としての正統性を確保するために，隣接する渤海や新羅，吐蕃，日本と密接な外交関係を構築した。

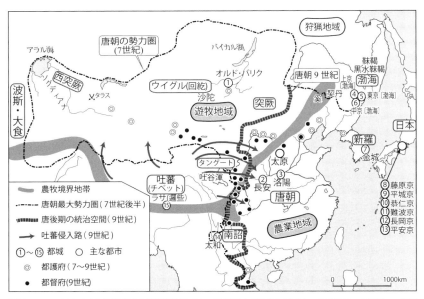

図3　ユーラシア大陸東部の都城時代：7～8世紀（三浦徹編『歴史の転換期3　750年　普遍世界の鼎立』山川出版社，2020年，193頁の図を改図）

倭国に替わる日本という国号は，武則天が倭国からの遣周使の改号申請を受け，702年に承認し現在に継承されることになった。

　仏教徒の女性が君主となる周の建国は，周辺国家にとって，儒教にもとづく唐の政治秩序からの解放を意味し，極めて新鮮な大事件だった。仏教にもとづく周の文化政策は，その普遍性ゆえに，隣接する国家に進んで受容された。日本の国分寺制度は，武則天が政策施行の基盤とした大雲寺の全国寺院網を模しており，平城京は，武則天の神都（洛陽）と長安の両京の都市プランを取り入れて造営された仏教都市である。周の王朝としての命運は約15年と短かったが，半世紀におよぶ武則天の文化政策の周辺国家への影響は少なくなかった。

唐の統治空間とユーラシア大陸東部の変貌

　唐前半期の統治体制の特色は，主に農業地域に施行された集権的な行政制度（州県制）と，主に遊牧・狩猟地域や農牧境界地帯に施行された分権的

な行政制度（蕃州）の併存にある。唐の都城に直結する州県には，中央から官人を派遣して直接に統治した。唐朝を囲む外国と唐朝の直接統治空間の間には軍事上の緩衝地帯が設置され，現地の有力者に世襲の統治を委ねるなどの方法で間接的な統治を行った。唐代に確立するこの二重統治制度は，唐の国際性をつくりあげ，後代の遼・金・元・清などの農牧複合国家の国家体制の原型をなした。

　安史の乱（755〜763）を経て，唐の統治空間は半減した。9世紀のユーラシア大陸東部の各国家は，唐の縮小にあわせて伝統的な価値観の復活をはかり，仏教以前の古典国家への文化的回帰を唱え，各国家独自の体制の模索が始まった。唐は，かつての国際性を失うかわりに，長江下流域の経済発展を軸に，効率的な統治が可能となる豊かな財政国家に変貌し，さらに140年と少し存続した。

　唐の文物制度が，同時代の周辺国家や後代の国家に大きな影響を与えた最も大きな理由は，唐が，ユーラシア大陸東部で初めての農牧複合帝国を構築したからだろう。唐は，隋を承け，3世紀近く分裂していた中国大陸を再統一し，遊牧地域と農業地域という異なる生業をもつ広大な空間を包含する農牧複合帝国となることで，必然的に，種族・言語・歴史・宗教・文化の違いを超越する，従来にない普遍的な制度を創造したのである。

　都の長安と洛陽は，遊牧地域と接する内陸の政治軍事都市としての長安と，大運河を通して沿海地帯に連結する経済文化都市としての洛陽が，それぞれ異なる都市機能を分担し，広域交流圏の二つの中核地となった。8世紀には，長安と洛陽の都市人口は，それぞれ数十万に達し，仏教以外にも，ゾロアスター教（祆教）やネストリウス派キリスト教（景教），マニ教の信徒が集住するユーラシア大陸屈指の国際宗教都市に成長した。7〜8世紀の世界の歴史は，長安と洛陽の都市空間の変貌の中に凝縮されるのである。

■参考文献
石井公成『東アジア仏教史』岩波新書，2019
『岩波講座世界歴史06　中華世界の再編とユーラシア東部　4〜8世紀』岩波書店，2022
妹尾達彦『グローバル・ヒストリー』中央大学出版部，2018
吉田孝『日本の誕生』岩波新書，1997
森安孝夫『興亡の世界史05　シルクロードと唐帝国』講談社，2007

イスラームの拡大と
キリスト教世界

仲田 公輔

亡国の王子，長安へ

　673年から675年の間のいつか，唐の都長安を一人の異人が訪れていた。その名を波斯（ペルシア）王ペーローズという。彼はササン朝最後の皇帝ヤズデゲルド3世（在位632～651）の子で，このときの立場は亡国の王子だった。およそ430年（224～651）にわたって繁栄したササン朝の大帝国は，新興のイスラーム勢力の拡大の前に脆くも崩れ去っていたのである。651年にヤズデゲルドが横死した後，再起を期したペーローズはパミール高原周辺へと逃れ，地元の有力者の協力を得てアラブ・ムスリムと交戦するとともに，かねてより国交を持っていた唐王朝にも支援を要請していた。一時は現地の都護にも任じられたペーローズだったが，勢いづくアラブ・ムスリムの攻勢を止めることはできず，長安へと逃れてきたというのがことの経緯であった。ペーローズは皇帝からそれなりの役職を与えられ，その子の代に至るまでササン朝再興運動を続けたが，目立った成果はなかった。やがてアラブ・ムスリムのほうも中国とも交渉を持つようになり，「大食」として日本の記録にも登場する。このように東アジアにまでその名を響かせることになったイスラーム勢力の拡大は，同時にユーラシアのもう一つの端にも至ろうとしていた。

地中海世界とイスラーム

　預言者ムハンマド（570頃～632）の時代にアラビア半島の大半を掌握したイスラーム勢力は，いわゆる正統カリフ時代からウマイヤ朝にかけて，西ではシリア，エジプト，北アフリカを席捲し，イベリア半島にまで版図

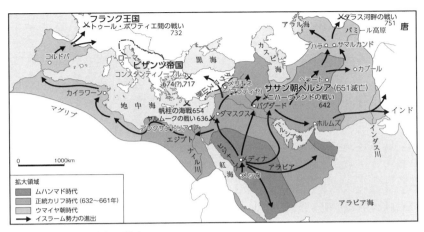

図1　イスラーム勢力の拡大

を広げるに至っていた（図1）。歴史家イブン・ハルドゥーン（1332〜
1406）がこの時代を振り返って「キリスト教徒は板切れ一枚浮かべること
はできない」と評したように，地中海は半ばイスラームの海となろうとし
ていたのである。とはいえ，陸上での征服活動は8世紀の前半には一段落
することになる。それを象徴する出来事として，732年のいわゆる「トゥ
ール・ポワティエ間の戦い」が引き合いに出されることも多い。啓蒙期の
歴史家エドワード・ギボン（1737〜1794）はその大著『ローマ帝国衰亡史』
において，この戦いでキリスト教徒が敗れていたら，「今頃オクスフォード
の学位試験ではコーランが教授され」ていただろうと評している。

　しかし，この見解は疑問にさらされて久しい。当時のイスラーム世界全
体に目を向けてみると，ウマイヤ朝第10代カリフ，ヒシャーム（在位724
〜743）の治世には，西方のみならず，各地で拡大の頓挫が起こっている。
一度の戦いで趨勢が決したわけではなく，補給や連絡の限界など，構造的
な要因があったことを想定すべきだろう。トゥール・ポワティエ間の戦い
についても，現実に起こった戦いはさほど大規模なものではなく，また両
陣営で「キリスト教対イスラーム」では捉えられない複雑な利害関係が絡
み合っていたことが明らかになりつつある。それにもかかわらずこの戦い
が強調されるようになったのは，7〜8世紀にイスラーム世界との本格的

接触を経た西方キリスト教側で,「ムスリムに勝利した」という事実がプロパガンダのために利用された結果である可能性が高い。その詳細は参考文献に挙げた津田拓郎氏の論考に譲るとし,本項ではこの戦いを強調することのもう一つの問題点を提示したい。それはすなわち,「西欧とイスラームの接触」を,「キリスト教とイスラームの接触」の焦点としてしまう,ヨーロッパ中心主義の問題である。よく考えてみれば明らかなのだが,西方キリスト教徒との接触を待つまでもなく,イスラームは西アジアにおいて既にキリスト教徒と様々な接触と交流を繰り広げていた。そしてそれらこそが,中世地中海世界におけるキリスト教世界とイスラーム世界の併存にとって決定的に重要な役割を果たすことになる。

┃ キリスト教とイスラーム

　そもそもキリスト教とイスラームが出会ったのはいつなのであろうか。実はその始点を想定することは難しい。なぜならば,イスラーム誕生時のアラビア半島において,キリスト教は決して未知のものではなかったからである。元来アラビア半島では様々な伝統的多神教が信仰されていたが,6世紀までにはかなり一神教が広まっていたとされる。そのうち最も存在感が強かったのはユダヤ教やその影響を受けた一神教信仰だったが,一部ではキリスト教も広まったとされる。アラビア半島の外に目を向けても,交流が深かった紅海対岸のエチオピアはキリスト教徒の王によって治められていたし,地中海世界最大のキリスト教勢力だったビザンツ(東ローマ)帝国の影響力も皆無ではなかった。そうした諸勢力の駆け引きの舞台であるアラビア半島で生まれたイスラームは,もとより他の一神教と様々な相互交渉を持っていた。キリスト教徒やユダヤ教徒が「啓典の民」として扱われていたことはよく知られているし,初期のイスラームはそうした他の一神教徒も包摂する「信仰者運動」だったとする説もある。

　初期の征服地であるシリアやエジプトにおいてもキリスト教徒は重要な役割を果たした。旧支配者であるビザンツの役人をつとめていた現地のキリスト教徒は,そのノウハウを活かして大帝国の経営に貢献していた。8世紀にイスラーム支配下で活動したキリスト教教父であり,イスラームを

同じ一神教の「異端」とした ダマスクスのヨハネス（749年没）も，そうした役人の一人の末裔である。

　アラビア半島外で最初にアラブ・ムスリムと軍事的に衝突することになったキリスト教勢力もビザンツであった。折しも中東の二大国であったビザンツとササン朝は，「古代最後の世界大戦」とも呼ばれる，20

図2　イスタンブル，テオドシウスの大城壁（著者撮影）　コンスタンティノープルの整備に尽力した皇帝テオドシウス2世（在位408〜450）が市域拡張のために建設した。

年以上にわたる大戦争（602〜628）を経て疲弊していた。これがイスラームの拡大にとって有利に働いた可能性は高い。だが，ササン朝が冒頭で述べたように敗北を重ねて滅びた一方，ビザンツは同じく惨敗を重ね，大幅に領土を失いつつも生き残った。研究者たちはこれについて様々な説明を提示している。宗派を異にする人口が多いシリア・エジプトを失って帝国の人口が均質化し，皇帝の求心力が向上したこと，気候に恵まれて経済発展を遂げられたこと，東南部のシリアとの境界地帯にタウロス山脈を擁する小アジアの地勢が守りに適していたこと，ゲリラ戦術が功を奏したこと，そして堅固な首都コンスタンティノープル（現イスタンブル）が，トゥール・ポワティエ間の戦いに先んじて起こった7〜8世紀の複数回の攻囲戦を耐えきったことなどである（図2）。いずれにせよ生き残った帝国は，英国のビザンツ史家ジュディス・ヘリンによれば，「ヨーロッパの防波堤」となった。ヘリンは，もし7世紀にコンスタンティノープルが陥落していたら，ヨーロッパはその勢いでイスラーム化していたと想定している。後にコンスタンティノープルを征服したオスマン帝国が東欧にまで勢力を拡大したことに鑑みれば，あながち言い過ぎではないのかもしれない。

東は東，西は西か──境域に生きる人々

　ビザンツの生存の結果，中世地中海世界にはキリスト教圏とイスラーム圏の併存が現出した。さらに東西キリスト教がしだいに独自性を強めるうちに，ラテン＝カトリック，ビザンツ＝正教，イスラームという三大文化圏の鼎立が成り立つことになる。しかし，小アジア，南イタリア，イベリア半島といった異なる文化圏の境域では，しばしばキリスト教かイスラームかという単純な線引きが難しい状況も生まれていた。ビザンツとイスラームの境域となった小アジア東部では，長期にわたって戦線が膠着した結果，お互いが併存を前提とした関係を模索し始め，その中での異文化交流も起こった（図3）。例えば10世紀初頭のコンスタンティノープル総主教はカリフ宛の書簡の中で，ビザンツ皇帝と兄弟のような関係を結ぶべきだとも述べている。ビザンツ側はバルカン方面で新興国ブルガリアとの対峙を迫られ，イスラーム側は各方面で自立傾向を強める有力者たちへの対処に追われるなど，双方とも他方面での問題を抱えていたため，小アジア方面では妥協が成立したという現実的な事情もある。

　いずれにせよ，両者の併存が続いた結果として，境域では接触と交流が長期にわたって続き，独特の世界が形成されることになる。小競り合いや略奪遠征は続いていたのだが，その中で捕虜となった者たちは，国境における捕虜交換の儀礼で解放されるというサイクルが繰り返された。戦争自体も，特にビザンツ領遠征に高い宗教的価値を認めていたイスラーム側を中心に，儀礼的な性格を帯びた。一方で戦争の主体となった有力者たちですら，国境を超えて友誼を深めたり通婚したりすることもあり，そうした紐帯は中央政府に対する反乱などの際にも利用された。民衆レベルでの交易や人的交流も頻繁に行われた。その証左として，イスラームのビザンツ領侵入の拠点となっていた都市メリテネ（現マラティヤ）にすら，キリスト教徒がムスリムの友人を悼んでメッカの方向に埋葬した墓碑があったという。

　そうした境域の気風を反映し，アラブ人の父とビザンツ人の母の間に生まれた英雄ディゲニス・アクリタス（「二つの生まれの」境域人を意味する）が境域を股にかけて活躍する叙事詩も生まれた。この叙事詩は後代の11世

図3　使節を交わすビザンツ皇帝(テオフィロス, 在位829〜843)
とカリフ(マームーン, 在位813〜833)(ヨアンネス・スキュリツェス『歴
史要覧』マドリード写本より)

紀以降に成立したものとされているが，ディゲニスの父に関する物語を中
心とする前半部は，9〜10世紀の様相を色濃く反映しており，当時の実在
の人物も登場する。ディゲニスの父はムスリム陣営のアミール（太守）だっ
たが，略奪遠征のために侵入したビザンツ領土で，守る側のビザンツの将
官の娘であったディゲニスの母と出会う。娘を攫おうとしたアミールに対
し，娘の一族は語りかけ，アミールも同じ言葉を理解して返し，両者は一
騎打ちに挑む。敗れたアミールはキリスト教に改宗した上で娘と結ばれる
ことを許される。この叙事詩に登場する人物たちは，一見すると敵同士で
はあるが，語り合い，交渉し，頻繁に国境を越える。そこには敵や異教と
いった言葉では捉えきれない，境域に生きる心性を共有する人々の様相が
描かれている。

■参考文献

太田敬子『ジハードの町タルスース─イスラーム世界とキリスト教世界の狭間』刀水書房, 2009
部勇造『物語　アラビアの歴史』中公新書, 2018
津田拓郎「トゥール・ポワティエ間の戦いの『神話化』と8世紀フランク王国における対外認識」『西
洋史学』261, 2016
ドナー, フレッド・M（後藤明監訳, 亀谷学・橋爪烈・松本隆志・横内吾郎訳）『イスラームの誕生─信仰
者からムスリムへ』慶應義塾大学出版会, 2014
ヘリン, ジュディス（井上浩一監訳, 足立広明・中谷功治・根津由喜夫・高田良太訳）『ビザンツ─驚く
べき中世帝国』白水社, 2010（新装版2021）

第4章

9世紀〜10世紀の世界

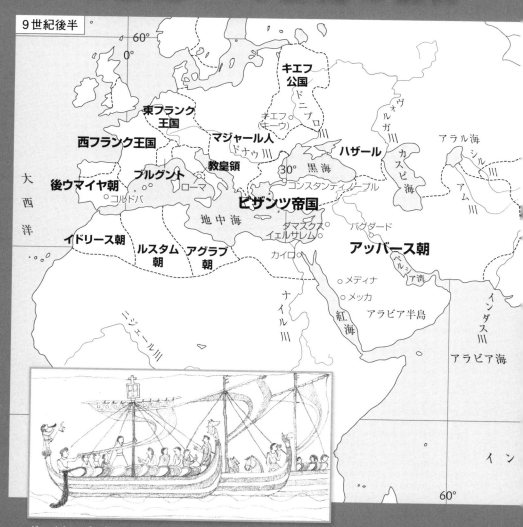

9世紀後半

- 60°
- 0°
- キエフ公国
- 東フランク王国
- 西フランク王国
- マジャール人
- 後ウマイヤ朝
- ブルグント
- 教皇領
- ハザール
- 30°
- 黒海
- コンスタンティノープル
- ビザンツ帝国
- 大西洋
- コルドバ
- ローマ
- 地中海
- ダマスクス
- イェルサレム
- バグダード
- アッバース朝
- イドリース朝
- ルスタム朝
- アグラブ朝
- カイロ
- メディナ
- メッカ
- ニジェール川
- ナイル川
- 紅海
- アラビア半島
- アラビア海
- ヴォルガ川
- アラル海
- カスピ海
- シル川
- アム川
- ペルシア湾
- インダス川
- イン
- 60°
- キエフ（モーウ）
- ドニエプル川
- ドナウ川

ヴァイキングの船

108

蝦夷の「悪路王」

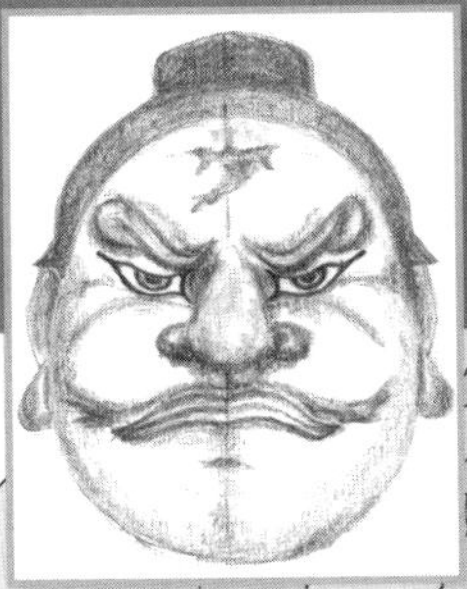

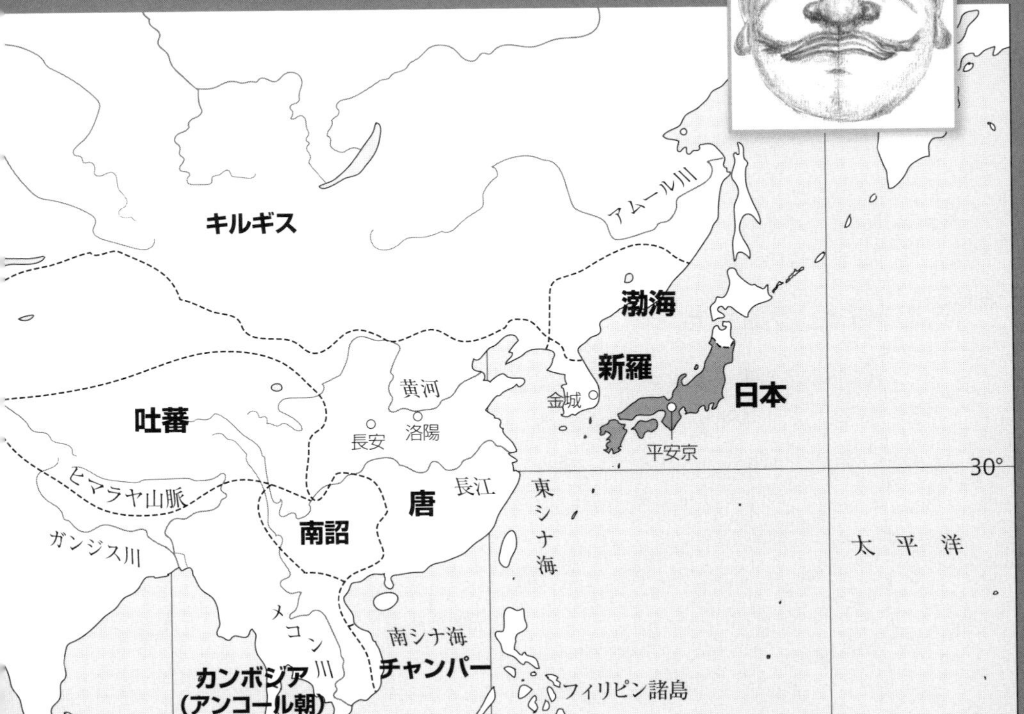

キルギス
アムール川
渤海
新羅
日本
金城
平安京
黄河
長安
洛陽
吐蕃
ヒマラヤ山脈
ガンジス川
南詔
唐
長江
東シナ海
太平洋
30°
メコン川
南シナ海
チャンパー
カンボジア
（アンコール朝）
フィリピン諸島
シュリー
ヴィジャヤ
スマトラ島
カリマンタン島
0°
ニューギニア諸島
ジャワ島
洋
90°
120°
150°

ヴァイキングの時代

小澤 実

　日本では平安時代にあたる9世紀から10世紀の世界史を私たちはどのように理解すべきだろうか。ユーラシア西部においてはカロリング朝フランク王国，マケドニア朝ビザンツ帝国，アッバース朝が勢力範囲の拡大につとめ，ユーラシア東部においては唐から五代十国を経て，960年に宋が建国される時代であった。このような国家生成の動きの中で，ユーラシア東部では契丹や女真，ユーラシア西部ではヴァイキングやマジャール人といった諸民族が歴史の舞台に登場した。本項ではこの時代を象徴する集団としてヴァイキングをとりあげたい。

ヴァイキングの拡大

　西暦750年以降，ゲルマン人の一派スカンディナヴィア人は，故郷である北欧から大挙して外の世界に広がった。私たちがヴァイキングと呼ぶ集団である。彼らは，居住する北欧ではそれぞれ農場を営み牧畜や漁労に携わる「農民」であったが，土地，富，名声などを求めて植民，交易，略奪を繰り返した。この集団は，北欧のどこに居住していたとしても，ノルド語という共通言語と共通の価値観に基づく文化を持っていた。他方で出身地により，彼らそれぞれの移動のルートは大きく異なった。彼らは，ヴァイキング船と呼ばれる船舶を巧みに操り，それぞれの居住地域とつながる特徴的なルートを経て拡大した。

　スウェーデン出身のヴァイキングは，バルト海沿岸部に拡大するだけでなく，ドニエプル（ドニプロ）川やヴォルガ川といった河川を通じてロシア平原に広がり，各地に集落をつくった。現地スラヴ人や遊牧諸民族と接触しながら黒海に到達した集団はビザンツ帝国領へと，カスピ海に向かった集団はイスラーム世界にも足跡を残した。デンマーク出身のヴァイキングは南方に展開した。彼らはイングランド本土とヨーロッパ大陸の河川を遡り，中には地中海に達するものもいた。その一部はイングランド王国とフランク王国から，その領地の一部を現地政権から切り取ることにも成功した。その結果として，イングランド北部のデーンローと呼ばれる地域と北フランスのノルマンディーには，ヴァイキングが特に数多く定住した。ノルウェー出身のヴァイキングは，北海を超えて西方へと向かった。彼

らは，先住する在地支配権力の及びにくいイングランド北部からスコットランドの周縁部へ，そしてマン島からアイルランドの沿岸部に定住した。さらにヘブリディーズ諸島を起点とし，島伝いにオークニー諸島，フェロー諸島，アイスランド，グリーンランド，そしてヴィンランドと呼ばれるアメリカ大陸へと到達した。

ヴァイキングがつなぐユーラシア西部

　ヴァイキングの特徴は，各地の農村部にただ定住するだけではなく，北大西洋からカスピ海へと至る海域・河川・湖沼を掌握し，北欧内外の要所に交易地を設置したことにある。

　北欧内ではユラン（ユトランド）半島のリーベとヘゼビュー，メーラレン湖のビルカ，スカンディナヴィア半島のスキリングサルなどが中心的な交易地であった。北欧外ではアイルランドのダブリン，ポーランドのヴォリン，ロシアのスタラヤ・ラドガ，ウクライナのキエフ（キーウ）などのように新しく設置された交易地もあったし，イングランド北部のヨーク，イングランド南部のロンドン，ノルマンディーのルアンなどのように以前からある都市がヴァイキングとの交易に合わせて経済的に活性化したところもある。彼らはヴァイキング船で出身地と交易地を往来し，さらにそれぞれの交易地をつないでネットワーク化を進めた。

　このような経済ネットワークは，ヴァイキングが直接支配したり恒常的に立ち寄ったりする北海・バルト海の周辺にとどまるものではなかった。それは，さらに，河川を通じて，西フランク王国のパリや東フランク王国のケルンのような西欧の内陸都市ともつながっていた。そこに加えて，イスラーム支配下のイベリア半島のコルドバ，シチリア島のパレルモ，ビザンツ帝国の都コンスタンティノープル，アッバース朝の都バグダードのような巨大都市へとも接続した。人口が数十万から百万を超えるようなこれら巨大都市は，多様な産品の大消費地にして大供給地であることに加えて，イスラーム世界やビザンツ世界に広がる交易ネットワークの中心でもあったことから，さらに外部の世界からのヒト・カネ・モノ・情報を集積する役割も果たしていた。ヴァイキングはこうした交易地を定期的に訪れることで，商品を売買するだけでなく，彼らがさらに足を運ぶであろう外部世界の情報も手に入れた。

銀と奴隷

　交易（時として略奪）を通じてヴァイキングが求めたのは銀であった。近年の研究によれば，とりわけ9世紀から10世紀の北欧には，イスラーム世界から莫大

な銀が流入していた。この銀は，8世紀半ばに，黒海とカスピ海の間にあるトランスオクサニアなどで開発された銀鉱山から産出し，アッバース朝やサーマーン朝でディルハム貨として製造されたものである。その一部は，イスラーム圏の外部に流出し，ヴァイキングとの取引に用いられた。その結果として，北欧やヴァイキングの定住地で隠匿された銀が，今でも埋蔵宝として多数発見されている（図1）。

図1　ヨークで発見されたヴァイキングの埋蔵宝（10世紀）

　ではこうした銀を入手するために，ヴァイキングは何を商品としていたのだろうか。彼らにとって最大の商品は奴隷であった。9世紀から10世紀にかけて，西欧，ビザンツ世界，イスラーム世界のいずれにも奴隷は多数いた。彼らは，家庭内の雑事から皇帝の警護まで，主人の要請に応じた多様な仕事を担っていた。宦官としてビザンツやイスラームの宮廷で重用される者もいた。前近代社会において，奴隷は，社会を維持するために不可欠の要素であった。

　ではヴァイキングは，どうやって奴隷を入手していたのだろうか。第一に戦闘での捕虜である。彼らは，ヴァイキング同士で戦闘をすることもあるし，海外に展開して現地で戦闘を仕掛けることもあった。捕虜は身代金を支払えば解放されるが，支払わなければ奴隷として売買された。第二に略奪対象としての人間である。各地を荒らし回ったヴァイキングは，貨幣や貴金属のみならず，現地で奴隷狩りも行なった。第三に借金などと引き換えに不自由身分とされ売買の対象とされた人間である。成人はいうまでもなく，乳児や幼児の間に売買された者もいただろう。9世紀に北欧を訪れた宣教師アンスガル（801〜865）は多数のキリスト教徒の奴隷を目にしているし，ノルウェーのハーラル苛烈王（在位1046〜1066）のように，一旦奴隷を経験したのちに，王の地位にまで成り上がったヴァイキングもいた。

　ヴァイキングは，奴隷のほかにも商品として販売可能な産品を輸出していた。ひとつはクロテンやリスなどの毛皮である。ロシア平原からスカンディナヴィア半島北部にかけての寒冷地に生息する小動物の毛皮は，防寒具のみならず，王侯貴族の威信財としても求められた。もうひとつはセイウチやイッカクなどの海獣の牙である。アフリカやインドのようには象牙が入手できない北ヨーロッパ世界では，それらの牙が装飾品の基材として利用された。そのほかにも，バルト海沿岸部でとれるコハクやゴットランドで入手できるビーズなども輸出対象となった。ヴァイキングが拡大したロシア平原や北大西洋世界はこうした商品の入手先であ

った。

■ ■ ■

　ヴァイキングは，9世紀から10世紀の間に，ヴァイキング船を駆使し，アメリカ大陸から中央アジアに至る広大な空間を往来し，その空間の各地に定住地と商品の売買を可能とする交易地をつくった。このようにヴァイキングの結んだ北の交易圏は，地中海交易圏やイスラーム交易圏とも接続するネットワークをつくり上げていた。そこを舞台として活動するヴァイキングは，ヨーロッパ商人，ビザンツ商人，イスラーム商人，ユダヤ商人らとともに，初期中世のユーラシア西部で広く活躍する商人集団でもあった。

　商人として富を蓄積したヴァイキングは，10世紀半ば以降，キリスト教を導入し，現在のデンマーク，ノルウェー，スウェー

図2　クヌートと妻エンマを描写した写本挿絵(11世紀)

デンの起源となる王国を打ち立てた。とりわけデンマークのイェリング朝出身のクヌート（在位1016〜1035）は，11世紀初頭，イングランド，デンマーク，ノルウェーを同時に支配し，神聖ローマ皇帝やローマ教皇とも交渉するだけの力を持つようになった（図2）。その機動力を活かし，経済構造だけでなく，ユーラシア西部の政治秩序を大きく変えたのもヴァイキングであった。言語，民族，国境の枠を超え，北大西洋からユーラシア西部までの広大な領域を行き来したヴァイキングは，中世においてグローバルな活動をする集団の代表でもあった。

■参考文献
菊池雄太編著『図説中世ヨーロッパの商人』河出書房新社，2022
熊野聰，小澤実解説『ヴァイキングの歴史』創元社，2017
『バイキング 世界をかき乱した海の覇者』ナショナルジオグラフィック，2020
Kimberly Klimek, and Pamela L. Troyer, *Global Medieval Contexts 500-1500: Connections and Comparisons*, Routledge, 2021
Neil Price, *Children of Ash and Elm: A History of the Vikings*, Penguin Books, 2019

古代の秋田城

篠塚 明彦

┃ 古代の水洗トイレからみえるもの

　現在の秋田県秋田市に，古代の城柵，秋田城が置かれていた。「城」といっても近世の城郭とは違い，天守がそびえ立っていたわけではない。この秋田城の遺構から大変興味深いものが見つかっている。それは，なんと「水洗トイレ」である。見つかった水洗トイレの跡は，秋田城の東側にある沼地の付近につくられており，1994〜1995年にかけて発掘された。現在，復元されており，古代の水洗トイレの様子を知ることができる（図1）。掘立柱建物があり，中には3基の便槽（便器）が置かれている。それぞれの便槽から沼地に向かって滑り台のような傾斜を持たせた木樋（丸太をくり抜いたパイプ）が地中に埋め込まれている。その先には浄化槽のような役割を果たす沈殿槽がつくられており，瓶から汲んだ水で流された汚物はいったん沈殿槽にためられ，上澄みだけを沼へ流す仕組みとなっていたということである。この水洗トイレは8世紀中頃につくられたという。このような立派で機能的に整備された古代の水洗トイレはまだほかでは見つかっていない。

　これほどの昔に立派な水洗トイレがあったということだけでも十分に興味深いのだが，さらに興味深いことがわかっている。古代のトイレを調べていくと当時の人々の食生活の手がかりにたどり着くこともできる。沈殿槽内の土からは，有鉤条虫卵という寄生虫の卵が発見されているのだが，この寄生虫はブタやイノシシを食べていないと感染しないものであり，このトイレを使った人々がブタやイノシシを食べていたことがわかる。縄文の遺跡からもイノシシの骨が出土しており，当時の日本列島ではイノシシ

図1　復元された秋田城の「水洗トイレ」(伊藤真氏撮影)

が食べられていたと考えられるが，ブタ食の習慣はなかったようである。沈殿槽内の土からみつかった有鉤条虫卵がイノシシ由来のものであれば，トイレの使用者は日本列島に暮らす人ということになるが，ブタ由来であれば列島外からやって来た人がトイレの使用者ということになる。残念ながらイノシシ由来であるか，ブタ由来であるかはわからない。日本列島の外から，ブタ食の習慣を持った人々がやって来てこのトイレを使っていた可能性はあるのだろうか。

交流の拠点秋田城

　ところで，この秋田城は，733（天平5）年に，それまで出羽郡（現在の山形県庄内地方）にあった出羽柵がおよそ100kmも北の秋田村高清水に移設されたことにはじまる。その後，8世紀半ば頃に秋田城と呼ばれるようになった。古代の城柵としては最北に位置している。旧雄物川の河口近くの丘陵の上につくられた秋田城なのだが，土地が痩せている上に，出羽国の北端に位置し孤立しているために「防御に不適」とのことから廃城を検討されたこともある城柵であった。古代の城柵は軍事や行政の拠点の役割を持っている。なぜ，防衛に不向きな場所に出羽柵は移設されたのだろうか。どうやら対外的なことが関係しているようである。

　7世紀末〜10世紀はじめ，朝鮮半島北部から沿海州にかけての地域に渤海国があった。渤海は，唐から「海東の盛国」と呼ばれることもあるほど強盛をほこった国であるが，727（神亀4）年以降，滅亡（926）までの間に，

図2　秋田城関連地図

正式でないものも含めると35回ほど日本に使節を派遣している。渤海使と呼ばれるものである。このうち,8世紀末までの使節にあっては,出羽国（秋田）を窓口としたものも少なくなかった。

　ロシアの沿海州付近には,ブタを飼育しブタ食を習慣とした人々が暮らしていたことがわかっている。渤海の人々もやはりブタを飼育し,ブタ食の習慣を持っていた。つまり,ブタ食を習慣とする渤海からの使節が秋田城の水洗トイレを使い,そのために有鉤条虫卵が発見されたとも考えられるのである。

　さて渤海使の来航ルートは,はじめの頃は北海道の渡島半島あたりを目指して日本に渡り,そこから日本海沿いに南下する北回り航路をとっていたものとみられている。そのため,最北の城柵である秋田城は,渤海の人々にとってはまさに日本への入り口になっていたのである。秋田城は日本の王朝国家側からみれば「北のはずれ」であっても,北方世界の側からみると入り口であり,北方世界,大陸に開けた最先端地域ともいえるわけである。

　北方から秋田城にやって来たのは渤海だけではなかった。現在の北海道に暮らし,「渡嶋蝦夷」と呼ばれた人々にとっても,秋田城は王朝国家との重要な結節点であった。渡嶋蝦夷とは,北海道にのみ存在した独自の文化,

続縄文文化とそれに続く擦文文化を担った人々と考えられている。『続日本紀』の記述などから，8世紀の前半には渡嶋蝦夷が秋田城へと朝貢していたことが考えられる。これは出羽柵が秋田に移設された時期とも重なる。出羽柵が秋田に移設されたから渡嶋蝦夷や渤海がやって来たのか，あるいは北方世界からの人々を迎え入れるために出羽国の北端に置かれたのだろうか。警備も困難であり，土地も肥えてはいない場所に移設された出羽柵（のちの秋田城）は，当初から北方世界との交流の拠点という目的を重視してつくられた大変ユニークな城柵とも考えられる。

　秋田城が北方世界との交流拠点であり，いわば外国からの賓客を受け入れる施設であったとするならば，立派な最先端の水洗トイレが設置されたことも頷けよう。秋田城の発掘調査では，城内に大規模な倉庫群が置かれたことも確認されており，これら倉庫には恭順を示した蝦夷に対して服属関係を固めるために与える食料や物資を備蓄していたものとも考えられている。

　ところで，渡嶋蝦夷は朝貢に際して，どのようなものを携えてきたのだろうか。『類聚三代格』延暦21（802）年6月24日太政官符では，渡嶋蝦夷がもたらす雑皮（様々な毛皮）の中から，中央の王臣諸家が使者を秋田城に派遣して先に質のよいものを買うことを禁じている。これを裏返せば，わざわざ秋田城に使者を送り込んで買い漁る者が多くいたということであり，それだけ渡嶋蝦夷のもたらす毛皮は魅力的だったに違いない。この毛皮は，ヒグマ，アシカ，アザラシなどの毛皮だったと考えられている。これらのうち，ヒグマは北海道の各地に生息し，アシカも北海道近海の比較的広範な地域に生息しているので，渡嶋蝦夷が自ら狩りで得た可能性も考えられる。だが，アザラシとなるとその生息域が北海道でもオホーツク海方面に限られ，渡嶋蝦夷が直接入手したとは考えにくい。5〜9世紀にオホーツク海沿岸に独自の文化を形成していたオホーツク文化人から入手していたものに違いない。アザラシの毛皮は日本の貴族や武家の間でも人気のあるもので，1190（建久元）年に源頼朝が入京するときのいでたちにもアザラシの毛皮が使われていた。こうした高価な毛皮などが，渡嶋蝦夷から秋田城を経由して日本にもたらされていたのである。

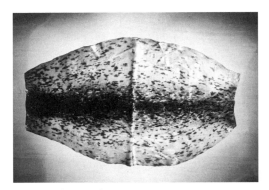

図3　アザラシの皮（北海道大学植物園・博物館蔵）

大陸の状況変化と北東北・北海道

　9世紀に入り，渤海の勢力が一層拡大した。このことが，北東北や北海道での物資の流れに変化をもたらすことになった。

　8世紀，渤海は沿海州・アムール川流域にいた靺鞨の諸部を服属させつつ勢力を拡大していた。靺鞨の諸部の中にあって北部に位置する黒水靺鞨は，独自に唐に朝貢するなど渤海に服属せずにいた。この黒水靺鞨は盛んにオホーツク文化人とも交易や交流をおこなっていたと考えられている。黒水靺鞨は，オホーツク文化人から海獣の毛皮などを入手するかわりに，彼らに鉄製品などを供給していた。黒水靺鞨が手に入れた毛皮は朝貢を通じて唐にももたらされていたようである。ところが，9世紀に入ると，この黒水靺鞨も渤海の勢力下に組み込まれていったのであった。そのため，黒水靺鞨は独自の交易を制限されることになってしまい，オホーツク文化人との交流も途絶えていった。これにより，オホーツク文化人は鉄製品などを入手するルートを新たに確保することが必要となっていったのである。必然的に隣接する擦文人（＝渡嶋蝦夷）との交流・接触は増えていくことになった。やがて擦文人たちは，日本の王朝国家で珍重される海獣の毛皮や鷲羽を自ら入手すべくオホーツク海沿岸地域に進出していった。9世紀，擦文人たちも鉄を生産する技術は持っておらず，日本との交易により鉄を入手していたのである。オホーツク海地域の物産は日本との重要な交易品

　ともなった。擦文人の進出によって，オホーツク文化人のある者たちはサハリン方面へと退去し，ある者は擦文人たちと同化していった。こうした擦文文化とオホーツク文化の融合がのちにアイヌ文化を生みだしていくことになる。

　さて，9世紀に擦文人がオホーツク海地域に進出し，自ら海獣の毛皮や鷲羽を入手するようになると，必然的に日本への供給可能量も増加していった。従来の秋田城経由の供給に加え，津軽などほかの北東北地域との交流が活発化していった。北方との交流を秋田城が独占していた形が変わっていったのである。また，9世紀には，造船をめぐる状況の変化などを背景に渤海使も北方ルートでなく，日本海横断ルートをとるようになり，出羽国を交流の窓口とはしなくなっていた。

　9世紀を通して，北方世界・北海道と北東北の交流を取り巻く状況は大きく変化していったのであった。

■参考文献
熊谷公男『秋田城と元慶の乱—外からの視点でみる古代秋田の歴史—』高志書院, 2021
古畑徹『渤海国とは何か』吉川弘文館, 2017
簑島栄紀「9〜11・12世紀における北方世界の交流」『専修大学古代東ユーラシア研究センター年報』5号, 2019
簑島栄紀「古代北方交流史における秋田城の機能と意義の再検討」『国立歴史民俗博物館研究報告』232集, 2022

円仁の旅

磯 寿人

円仁とは

　栃木県宇都宮市から県道を 20 分ほど南下すると，「慈覚大師生誕地」の大きな看板が目に入る。ここが，円仁（794 ～ 864）生誕地とされる下都賀郡壬生町壬生寺である（生誕地は，史料では都賀郡とあるだけで，他に栃木市岩舟町等，諸説あり）。壬生町内の小学校では地元の偉人「円仁」について「総合的な学習の時間」の授業で取り上げ，「中国で仏教を学び，帰国後日本中に仏教を広め，天皇から慈覚大師の名前を授かった」と学んでいる。円仁とは何者であるか。日本史教科書（『詳説日本史B　2020年版』，山川出版社）では，「天台宗も最澄ののち，入唐した弟子の円仁，円珍によって本格的に密教が取り入れられた」と最澄の弟子として天台密教確立に功績があった

図1　壬生寺山門（著者撮影）

図2　慈覚大師円仁(兵庫県一乗寺蔵,
画像提供　奈良国立博物館)

ことが記されている。

　円仁は，歴史上最後となる遣唐使に随行し唐に渡ったが，請益僧という
立場で留学僧とは違って長期滞在が許されなかったことから，到着地揚州
に足止めされたまま帰国を余儀なくされる。しかし，彼は天台密教を学ぶ
目的を果たすために帰国を拒み，いわゆる不法残留の道を選び（後に許可を
得るが），約10年間に亘る壮大な旅を重ねたのである。聖地五臺山を巡っ
たのち長安にも滞在するが，そこで会昌の廃仏と呼ばれる仏教弾圧にも遭
遇する。円仁は，この旅を『入唐求法巡礼行記』として記したが，駐日米
大使となるライシャワー博士（1910〜1990）の慧眼は，この旅行記をマル
コ・ポーロ（1254〜1324）の『世界の記述』や玄奘（602〜664）の『西
域記』に匹敵すると世界に紹介した。しかも，中国文化への理解もなく単
なる外部的視点で眺めたマルコに対して，円仁は内部的視点から中国人の
生活を生き生きと描きだしており，国際的年代記として価値ある玄奘の『西
域記』でさえここまで詳細に生きた色彩に溢れるものではないと，円仁に
最大の評価を与えている。

円仁の旅

　事実，この旅行記が描きだす唐末の人々の生活や当時の現状は，歴史の
断片的知識をつなげ，あるいは勝手な思いこみを払拭し，驚きと感動をも

たらしてくれる。お馴染みの遣唐使についてさえ，その構成人員や歓送儀式，航海の苦難など新たな発見の連続であり，さらに，塩の大生産地（長江・淮河河口地帯）からの塩専売局ボートが数珠つながりになって数マイルも続く光景は後々の塩密売人黄巣の乱を想起させるし，蝗が道にも家中にも溢れて足の踏み場もなく村が飢饉にあえぐ光景（山東地方や山西省西南）は中国史に度々現れる農民飢饉を彷彿させる等，その他枚挙にいとまがない。

　遣唐使によって律令制など優れた中国の文化・制度が日本に取り込まれたことから，唐とは伝統的中国文化（漢文化）の象徴そのもののように捉えられがちである。しかし，フン（匈奴を源流とする）の西進によるゲルマン

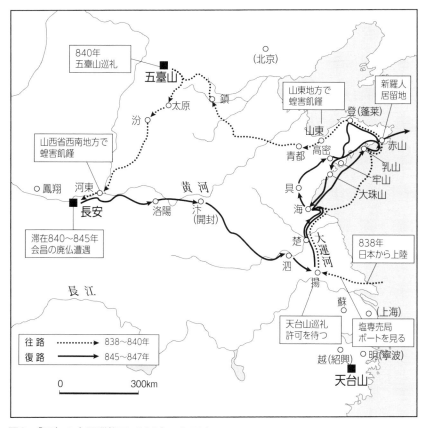

図3　「円仁の中国巡礼図」838年〜847年（ライシャワー『円仁』より）

人の大移動が混乱の後に西欧世界を作りだしたように，同時期東アジアで
も，匈奴を発端とした遊牧民の華北大移動が，混乱後に隋唐統一王朝によ
る東アジア世界を作りだしたのである。この経緯からも，さらに鮮卑族に
よる建国であることからも，唐文化が純粋伝統的な漢文化などであるはず
がなく，遊牧民文化の色彩を根底に持ち，他地域との交易を主とした国際
文化であることは合点がいくはずである。だからこそ，都長安は，仏教・
道教はもとより景教・祆教・マニ教の寺院が立ち並ぶ国際色豊かな100万
人都市として世界にその名を轟かせたのだ。そして，この国際文化を支え
たのはシルクロード交易に活躍するソグド人であったことは「ラクダに跨
る胡人」の唐三彩が示すとおりだ。しかし，円仁の日記からは，都長安を
往来する外国人の中で最も大勢であったのは実は朝鮮人（新羅人）であった
ことがわかる。海路中東から中国への商圏を握っていたのはムスリム（ペル
シア人）であったが，揚州以北の海及び内陸水路要所に確固たる商業圏を持
ち，円仁の苦難の旅を支援してくれたのは新羅商人であった。彼ら新羅商
人は，淮河下流域（楚州）・長江下流域や山東半島，そして長安にも大きな
拠点を持って中国人社会に深く入り込んで活躍していたことを実感させら
れる。

　それにしても，唐は安史の乱により壊滅的被害を受け，国破れて山河あ
りと謳われた長安は荒廃に沈んだのではなかったのか。均田制等，国家を
支える律令制は崩壊したのではなかったのか。教科書の記述からは，安史
の乱後，地方権力は節度使に奪われて，唐は衰退の一途を辿り黄巣の乱に
つながり滅亡したとの認識を持つのではないだろうか。円仁の旅を通じて
現れるのは，この時代の唐の行政機構は全土に亘ってしっかり機能してい
るという事実である。円仁が中国国内を旅するには中央及び地方の通行証
が必要であり，役所と数々の公文書の往来が幾度となく行われ，公認なし
に移動することはままならない毎日であった。しかし，公認の下では宿泊・
糧食には困らず，中国の伝統ともいうべき賄賂も要求されず，飢饉が訪れ
た村でさえ一度も危険な場面に遭遇せず，節度使の専横も見られず治安が
維持されていた。これは，国内道路・水路等インフラがきちんと整備され，
役人が仕事に専念し，行政が正しく機能していたことを示している。両税法・

塩専売等の財政政策や募兵制により行政機能は維持されていたというべき
か（崩壊した租調庸制収入に代わって，両税法・塩専売による貨幣収入を基に国
家財政は組み立てられるようになり，貨幣経済を背景に収入・収支の予算立てを
する財政国家北宋時代へとつながっていくのであるが，衰退する唐朝がその命脈
を保つことができたのは，何よりもこの財政政策に拠るところが大きい。また，
両税法は，藩鎮の勝手な徴税の枠増や一括独占を阻止するという藩鎮抑制効果を
もたらし，節度使は唐朝からのポスト任命に依存していた面もあり，唐朝と藩鎮
の相互依存関係がしばしの安定期間を生んでいたともいえよう）。

　さて，長安で念願の密教を学ぶ円仁は，史上最大の仏教弾圧「会昌の廃仏」
に襲われる。唐書など中国の歴史書がほとんど言及していないこの仏教弾
圧について，円仁は詳細に記録している。845 年に始まるとされるこの廃
仏は，円仁によれば，既に 842 年にはその様相を示し始めており，僧尼の
還俗・財産没収が強制されて両税法下の納税生活に戻され，翌年には長安
左右街併せて 3451 人が還俗した，とある。翌年から弾圧はさらに徹底され，
仏教寺院・墓碑の破壊，全ての僧侶が還俗させられ，さらに外国人僧侶の
追放が決定されたことで，期せずして円仁は帰国の途につくわけである。

　武宗（在位 840 〜 846）の道教への偏愛ぶりを語る円仁の言葉どおり，世
界史教科書で学ぶ「会昌の廃仏」は武宗の道教への狂信が大きな要因とさ
れるが，寺院財産没収・還俗信者への課税等，行政側の財政政策の意味合
いも強かったとされる。また，官僚と宦官の勢力争いは歴史上幾多の政治
混乱を引き起こしているが，この時も官僚（儒教）による宦官（仏教）排斥
の動きがあったことも見逃せない。ちなみに，官僚を代表する宰相李徳裕
（787 〜 850）と宦官の大物仇士良（781 〜 843），この両者に円仁は接触し
関わりを深めていた。この偶然は，ことさらに「会昌の廃仏」という歴史
事実の深淵へと我々を誘ってくれる。843 年，マニ教司祭たちは頭を剃ら
れ袈裟を着せられ仏僧に見せかけられて殺害されたと円仁は記し，845 年
発布の勅語には 3000 人以上の景教徒・祆教徒を還俗させたとある。こう
して仏教だけでなく，マニ教，景教，祆教などの外来宗教への弾圧も行わ
れた。円仁はマニ教とウイグルの関係にも言及していたが，この外来宗教
排斥という一面は，実際に当時の国際情勢（ウイグル，吐蕃が相次いで分解し，

二つの外圧から解放された）が大きく関わっており，それに伴う偏狭な民族意識の発露と捉える説もある。さすれば，会昌の廃仏は，この後の国際情勢（唐の求心力低下に伴う東アジア文化圏の崩壊と周辺諸国の独自文化・国家体制確立）を導く端緒として，東アジアの一連の大きな動きの一部として考えられるのではないだろうか。

■ 円仁の旅の意義

　帰国後の円仁の活躍はご存知のとおりである。円仁が東日本の片田舎下野国の出自で偉大な業績を成し遂げたことをライシャワー博士は驚嘆しているが，この地には下野薬師寺があり（東大寺，筑紫観世音寺と下野薬師寺だけが戒を授けることができた），律令政府の対蝦夷政策拠点としても重要な役割を果たしていた仏教盛行地域であったことを考えれば不思議ではない。渡唐前，円仁は東国巡化の行に従い東北各地への布教に努めた。仏教は，政府の東国支配には欠かせなかったし，円仁もその意味を認識していただろう。政治と宗教の関係性について，唐から帰国した円仁がどう考えたのかは空想の域を出ないが，少なくとも排他的で他者を認めない偏狭性と不寛容を強く心に戒めていたのではないだろうか。

　円仁の旅を世に知らしめたライシャワー博士は，「神学者である自分が他宗教のことを何も知らないという事実が研究の端緒であった」と言及している。駐日大使として日米の架け橋となった彼は円仁の旅を通して何を訴えようとしたのか。今，世界では偏狭なナショナリズムや歪んだ排外主義が増長し，憎悪と不寛容が溢れている。このような世界が辿る果ては歴史が証明している。他者（他文化）をどう理解するのか，ライシャワー博士が円仁の旅に託した思いをつないでいきたい。

■参考文献

氣賀澤保規『中国の歴史6　絢爛たる世界帝国』講談社, 2020
深谷憲一訳『入唐求法巡礼行記』中公文庫, 1990
丸橋充拓『唐後半期の政治・経済』『岩波講座世界歴史07』岩波書店, 2022
森安孝夫『興亡の世界史05　シルクロードと唐帝国』講談社, 2007
ライシャワー, E.O.『円仁―唐代中国の旅』講談社文庫, 1999

アッバース朝イスラーム帝国の統治体制

カリフの総督か，それとも君主か

橋爪 烈

▌アッバース朝における地方支配の担い手

　預言者ムハンマドの従弟で第4代正統カリフであったアリーの死後，イスラーム共同体の統治を担ったウマイヤ朝は，同じくムハンマドの叔父アッバースの一族が関わった反ウマイヤ朝運動の結果，750年に打倒された。こうしてアッバース家の当主アブー・アルアッバースが初代の君主（カリフ）となって成立したアッバース朝（750〜1258）は，ウマイヤ朝の有していた広大な領土を引き継ぎ，その統治を担うこととなった。

　広大な領土を統治するにあたって，カリフは各地に総督を置き，自らの代理として，任地の徴税や治安維持などの統治業務にあたらせた。総督は，一般的には「命令する者」を意味するアミールと呼ばれ，あるいはワーリー（仕事を委ねられた者）やアーミル（業務を行う者）という言葉も用いられた。

　その後，9世紀ごろから，カリフの権威を認めつつも「独立」した支配者としてふるまう総督が現れ，自身の保持する地位や権限を，息子や兄弟など，自らの一族に継承させる事態がみられるようになる。こうして，カリフの権威は弱まり，「軍事政権」乱立の時代を迎える，という理解が一般的である。そして946年のブワイフ朝のバグダード入城をもって，カリフは軍事政権の傀儡となり，以後1258年の滅亡まで，概ねその状態が続くのである。

　この軍事政権の君主たちはアミールと呼ばれていた。それはカリフから任命され，その権威や権限を保障されるという形式を経ているためである（ただし，任命にかかる史料上の文言は，「アミールにする」だけでなく，「委ねる」「業務を授ける」など各種あった）。946年以降，実質的な支配権を喪失した

カリフがなおも存続しえたのは，この任命形式をとることで，自らがその地域を支配することの正当化を図ることが当の軍事政権の君主たちに必要とみなされていたためである。モンゴルによってアッバース朝そのものが排除されるに及び，こうした支配の正当化の形式は過去のものとなる。

▎総督就任の経緯からみた類型

　カリフの任命により，軍事・行政各種の権限を授与された軍事政権の君主（総督）たちではあるが，彼らの総督就任に至る経緯は一様ではなく，就任者の政治的社会的背景も多岐にわたるものであった。アッバース朝成立当初，各地の総督職には，主としてアッバース家の成員が任命された。その後，ホラーサーン地方出身者が任命される事例が増える。こうした中，5代カリフのラシード（ハールーン・アッラシード，在位786〜809）が800年にイフリーキヤ州の総督としてイブラーヒーム・ブン・アグラブ（812年没）を任命，年4万ディーナールの納付と引き換えに同地の裁量権を委ねる。この後，イブラーヒームの一族はカリフの権威を認めつつもイフリーキヤ州において独立の政権を樹立し，世にアグラブ朝として知られる王朝となる（909年滅亡）。

　このアグラブ朝の成立を皮切りにカリフの権威を認めつつも半ば独立的に地方を支配する総督（その政権はしばしば王朝と呼ばれた）がカリフ領の東西各地に登場する。以下では，主な王朝について，初代君主が如何なる経緯で総督に任命されているかという観点でいくつかの類型に分けてみよう。

　一つ目は，アッバース朝カリフの任命により，中央より任地に派遣され，独立化していく場合である。これは前述のアグラブ朝や東方における最初の事例であるターヒル朝（821〜891）が当てはまる。ターヒル朝初代君主ターヒル・ブン・フサイン（822年没）は，7代カリフのマアムーン（在位813〜833）の将軍として活躍し，821年にホラーサーン総督に任命され，以後，彼の子孫が総督職を歴任する。またエジプトを支配したトゥールーン朝（868〜905）やイフシード朝（935〜969）などもこのタイプである。前二者はホラーサーンに出自を持つアラブ系一族の人物が総督となった場合であり，後二者はトルコ系マムルーク（奴隷軍人）が総督に任命された事

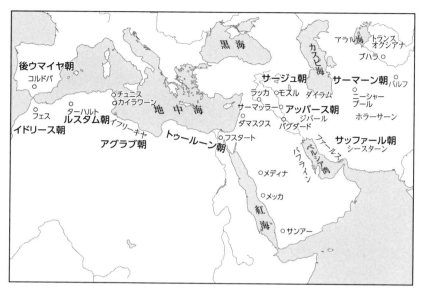

図1　900年のイスラーム世界

例である。

　二つ目は，現地の有力一族が，アッバース朝により派遣された総督の下
で活動し，次第に実力をつけ総督に任命される，あるいは実力でカリフの
総督を打倒・排除し，アッバース朝から総督として認められるようカリフ
に働きかける場合である。トランスオクシアナを中心に勢力を保持したサ
ーマーン朝（864 ～ 1005），およびシースターン地方を中心に勢力を保持し
たサッファール朝（861 ～ 1003）がこの場合に当てはまるだろう。前者は
バルフにて長く有力一族であった家系であり，ターヒル朝のもとで活動し，
頭角を現した。後者は任俠無頼集団を中核とし，シースターン地方に跋扈
していたハワーリジュ派集団の討伐を契機に，ターヒル朝の総督を排除し
て地方軍事政権となっていく。両者に共通するのは王朝樹立の地がその担
い手たちの出身地と重なるという点である。

　三つ目は，他地域から移動ないし侵入し，当該地域を軍事力で制圧した
のち，カリフに当該地域の支配権を認められる場合である。ブワイフ朝や
ガズナ朝がこれにあたるだろう。前者はズィヤール朝君主マルダーウィー

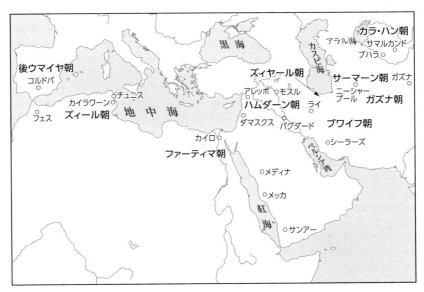

図2　1000年のイスラーム世界

ジュ（在位 927 ～ 935）旗下のダイラム（カスピ海南岸地域の人々）軍団が離
反する形で，ファールス地方を支配していたカリフの総督を武力で排除し，
同地方の総督職に任じられたものである。後者は，サーマーン朝の後継争
いに関与し，敗れたトルコ系マムルークのアルプティギンがガズナに逃れ，
その後同じくトルコ系マムルークであったセビュクティギンの息子マフム
ード（在位 998 ～ 1030）の代に独立したものである。いずれもアッバース
朝からではなく，地方軍事政権から独立を果たし，その後地縁のない場所
においてカリフの承認を得るという事例である。

　細かな差異に注目すれば上記の類型に収まらない事例はあろうが，おお
よそ9～ 10世紀のアッバース朝支配体制下にあって，ある一定の地域を排
他的に支配する王朝の始まりとしては，上記三つの類型となるだろう。

　ではなぜこのように各地に王朝が興っていくのか。一般的にはアッバー
ス朝カリフの権力の衰退や権威の低下，あるいはそれに伴って，軍事政権
を樹立する個人や一族の政治的，領土的野心の存在をもって説明されるこ
とが多いが，以下では，ブワイフ朝の事例を取り上げ，王朝が基盤とした

地域の事情に注目して，その理由を考えてみることにしよう。

地方からみた"独立"政権

　前述の通り，ブワイフ朝はズィヤール朝から離反し，ファールス地方に王朝を樹立する。その樹立に至る過程で初代君主イマード・アッダウラ（以下イマード，在位934～949）はファールス地方土着の有力者の協力や支持を得ている。これこそ，イマードがファールスに地歩を固める要因となる。ではなぜ地方の有力者はイマードを支持したのか。

　ミスカワイフ著の史書『諸民族の経験』によれば，当時ファールス地方の総督はカリフより派遣されていたヤークートというトルコ系の人物であったが，彼とファールスの有力者ヌーバンダジャーニーとの間で徴税額に関する揉め事が起こっていた。後者はヤークートの苛烈な徴税に不満を抱いており，折からファールス地方に軍を進めていたイマードと誼を通じ，彼にヤークート打倒を勧めたのである。ヌーバンダジャーニーは，イマードに対して相当量の軍資金や糧食を提供し，支援したようである。イマードのファールス地方確保に至る過程で，アミードと呼ばれたジバール地方の有力者（彼はマルダーウィージュの行政官を務めていた）やファールス地方の有力者たちも資金面などで協力していたことが伝えられており，またブワイフ朝成立後にはこれら有力者の子弟や一族が同王朝の行政官として活躍している。以上から，ブワイフ朝の成立には地元有力者の支持や協力が重要な意味を持ったことがわかる。

　その後，イマードは時のカリフ，ラーディー（在位934～940）に自らがカリフの代理人としてファールスの統治にあたれるよう権限の授与を求め，カリフは年800万ディルハムの納入と引き換えにそれを認める。地方の有力者の支持だけでなく，カリフによってその地の支配権を委任され，総督になる必要があったのである。ただ『諸民族の経験』によると，イマードのファールス総督への任命文書や軍旗，恩賜の衣を携えた人物がカリフのもとから到来するも，任命の裏付けとなる文書等を獲得したイマードは，約束の800万ディルハムについてはのらりくらりとはぐらかし，とうとう納入しなかった，とある。任命の事実さえ得られれば，カリフへの服従な

ど些末なことであったのだろうが，それでもカリフの任命という形式まで不要とするわけにはいかなかったこと，この事実こそがアッバース朝カリフ体制の強固さを物語っているように思われる。

　以上，必ずしもブワイフ朝成立の事例を一般化できるわけではないが，アッバース朝の直接支配に対して，地域や地方内部の対立や利害を主張する個人ないし集団が存在し，その上に，形式上カリフの承認を得た総督が乗りかかることで，アッバース朝から「独立」した王朝がカリフ領の各地に興るという状況が，9世紀以降増えていくのである。

■参考文献
サービー，ヒラール（谷口淳一・清水和裕監訳）『カリフ宮廷のしきたり』松香堂，2003
嶋田襄平『イスラムの国家と社会』岩波書店，1977
タヌーヒー（森本公誠訳）『イスラム帝国夜話』上下巻，岩波書店，2016〜2017
橋爪烈『ブワイフ朝の政権構造—イスラーム王朝の支配の正当性と権力基盤』慶應義塾大学出版会，2016
C.E. Bosworth, *The New Islamic Dynasties*, Edinburgh U.P., 1996

第5章

11世紀〜12世紀の世界

12世紀末

スウェーデン王国

キエフ公国

デンマーク王国

イングランド王国

ロンドン

ポーランド王国

神聖ローマ帝国

キエフ（キーウ）

ウルゲンチ

アラル海

パリ

フランス王国

ハンガリー王国

ウィーン

ジェノヴァ

カスピ海

ホラズム朝

カスティーリャ王国

教皇領

コンスタンティノープル

黒海

レオン王国

マルセ

イユ

ローマ

ビザンツ帝国

ルーム・セルジューク朝

ポルトガル王国

トレド

アラゴン王国

シチリア王国

ゴール朝

グラナダ

チュニス

ムワッヒド朝

地中海

カイロ

アッコン

エルサレム

バグダード

ペルシア湾

インダス川

マラケシュ

11世紀〜
レコンキスタ（国土回
復運動）が活発化

サハラ砂漠

アイユーブ朝

メッカ

アラビア半島

バグダード・カリフ領

アラビア海

11世紀末〜
十字軍遠征

大西洋

紅海

ナイル川

コンゴ川

十字軍の兵士

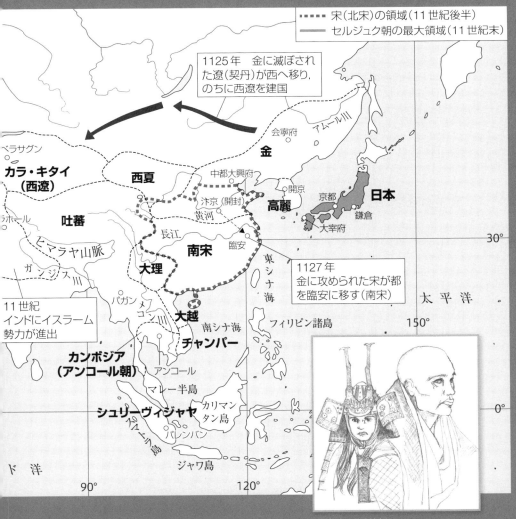

- ▪▪▪▪ 宋(北宋)の領域(11世紀後半)
- ━━ セルジュク朝の最大領域(11世紀末)

1125年 金に滅ぼされた遼(契丹)が西へ移り, のちに西遼を建国

会寧府

アムール川

金

カラ・キタイ (西遼)

ベラサグン

西夏

中都大興府

高麗

開京

京都

日本

鎌倉

吐蕃

汴京(開封)

黄河

大宰府

ラホール

ヒマラヤ山脈

長江

臨安

30°

南宋

ガンジス川

大理

東シナ海

太平洋

11世紀 インドにイスラーム勢力が進出

パガン

メコン川

大越

南シナ海

フィリピン諸島

150°

チャンパー

カンボジア (アンコール朝)

アンコール

マレー半島

シュリーヴィジャヤ

カリマンタン島

パレンバン

0°

スマトラ島

ジャワ島

ド洋

90°

120°

平清盛と源義経

133

武士と騎士の誕生

高橋 慎一朗

　10世紀の中国では，アジア全体に中央集権的な支配モデルを示した唐が滅び，宋が建国された。11世紀から12世紀にかけては，東アジアの各地域で民族の自立意識が強まった。いっぽうで，民間商人を主体とする海を介した交易活動が盛んになり，武士が力を持ちはじめた日本との間で日宋貿易が進行，日本からの輸出品として特に硫黄や木材が重視された。西アジアではアッバース朝の求心力が弱まり諸政権が成立するが，11世紀にトルコ系のセルジューク朝がイラン・イラクを中心に支配を広げた。ヨーロッパでは，フランク王国が分裂し諸侯が割拠するなかで，キリスト教が統治理念として重視されてキリスト教圏が出現し，やがて11世紀から十字軍の運動が展開される。

武士の誕生

　日本の武士の源流は，古代の10世紀ごろにまで遡ることができる。「兵(つわもの)」や「武者(むしゃ)」と呼ばれて武芸にすぐれた戦士たちが，京都の天皇や貴族，地方の国司などのもとに，律令制の枠組みにはないかたちで新たに編成されたのである。兵や武者は，日常的な治安維持や紛争解決に動員されたほか，10世紀におきた平将門や藤原純友の反乱（承平・天慶の乱）などの大規模な内乱の鎮圧にも起用された。

　11世紀の奥州での大規模な戦乱（前九年・後三年合戦）などを通じて，戦争（武芸）を職能として代々受け継いでいく戦士（武士）の家が成立し，永続的な主従関係を持ち主人を中心として戦争に従事する戦士集団（武士団）も形成された。

図1　後三年合戦絵詞(模本，一関市博物館蔵)

また，院政の開始とともに，天皇を唯一の頂点として
いた貴族社会にも分権的な傾向があらわれ，院や摂関
家などは独自に武士を従者として取り込むようになり，
社会的に認知された「武士」身分が誕生したのである。
そして，武士の存在感が強まった結果，源氏・平氏に
代表される武士の最上層部は，貴族の一員になってい
く。

**図2　鎌倉幕府の大倉
御所跡**（著者撮影）

　武士は政治の面でも台頭するようになり，ついに12
世紀には平清盛（1118～1181）によるはじめての武
家政権が樹立された。平氏政権は支配地域が限定的で
また短命に終わったため，本格的な武家政権とはいえないが，京都大番役などを
通じて全国の武士に対する指揮体制を整えつつあった。

　また，平氏政権は日宋貿易を推進したが，それは先例を墨守して外交には消極
的な貴族と対照的に，先例にとらわれない武士の政権であればこそ可能であった。
「農村の有力者が自衛のために武装したのが武士の起こりである」とするかつての
イメージとは大きく異なって，武士には京都の武者を源流とする者や，かつての
藤原純友や源平合戦で活躍した水軍のように，海のネットワークにかかわる者た
ちも多くあったのである。

　こうした流れの先に，12世紀末の源頼朝（1147～1199）による鎌倉幕府の開
設がある。日本ではじめての本格的な武家政権の設立であり，東アジアで例外的
に長期にわたって存続する武人の政権のスタートであった。鎌倉幕府は，従者と
なった武士に「御恩」として土地に対する一定の権限を給付するかわりに，軍事
的な奉仕を義務付けたのである。

東アジアの武人

　唐の滅亡後，宋を建てた趙匡胤（927～976）は，みずからが武人出身であっ
たのにもかかわらず，武人の力を削ぐことに努めた。節度使（辺境の軍事指揮官）
が力を持ったことが，唐の滅亡から五代十国の内乱につながったことから，軍事
指揮権を皇帝の手に集中させたり，節度使を文官に置き換えて権限を縮小したり
するいっぽうで，科挙の改革を行い文官中心の政治体制を整えたのである。その
ため，宋王朝のもとではむしろ武人の地位は低下していた。

　朝鮮半島では，10世紀に高麗が建国されていた。高麗では，支配者層は文班（文
官）と武班（武人）に二分されていた（両者を合わせて両班と称する）が，文官

が優位に立ち武人は冷遇されていた。これに不満を持った武人は，12世紀末にクーデターをおこして政権を掌握，しばらくは有力な武人による政権（武臣政権）が続くことになる。ただし，高麗の武臣政権のもとでは，武臣の従者たちには御恩にあたる土地の給付はなく，武人だけでなく多くの文官たちが政権を支えていた。そして，13世紀にはモンゴルからの圧力と文官貴族の反発などから，100年で武臣政権は崩壊した。

　宋の武人や高麗の武臣政権と比較したとき，平氏政権・鎌倉幕府に始まり江戸幕府滅亡まで，700年もの長期間にわたり武人の政権が続いた日本のありかたが，東アジアのなかではいかに特異であったかがよくわかるであろう。

騎士の誕生

　日本の武士と同様，ヨーロッパの騎乗の戦士（騎兵）そのものは古代から存在したと見られるが，圧倒的な権力を持つ王が不在で各地に有力者が割拠する状況下，11世紀に騎兵の上層部が，地方における小領主（城主）となった。城主は諸侯に仕えるいっぽう，みずからも戦士たちを従者として組織した。城主やその従者たちは，主人に軍事的奉仕を行うかわりに封土と呼ばれる土地を与えられ，キリスト教の神のために戦う戦士として自己規定することにより，「騎士」が誕生したのである。

　戦士たちは，騎士叙任式を経ることで正式に「騎士」と認められていたが，さらに12世紀には司祭がつかさどる教会的儀礼として叙任式の様式が確立するのである。

　11世紀のヨーロッパ，とりわけフランスに特徴的に見られるように，封土の授受を媒介とする主従制（レーン制）を基盤として，城主による地域支配が社会の

図3　バイユーのタペストリー（フランス，バイユータペストリー美術館蔵）　初期の騎士の姿。／Detail of the Bayeux Tapestry - 11th Century. City of Bayeux

基本となる。このような社会の仕組みは，研究上では「封建社会」とも呼ばれている。騎士のなかにはもともと貴族階層の出身者もいたが，城主層の社会的地位の向上にともない，次第に王から小領主にいたるまでの支配階級全体を「騎士」と称するようになり，騎士と貴族の区別は曖昧となっていった。

　11世紀にイェルサレムを征服したセルジューク朝に対抗するため，ビザンツ帝国においても封土を与えるかわりに軍役を義務付ける封建軍を組織している。さらに援軍をローマ教皇に求め，これに応えるかたちで諸侯や騎士を主体とする十字軍が派遣されるにいたったのである。十字軍の運動が盛んになると，12世紀には，巡礼者保護を目的とする，テンプル騎士団・ヨハネ騎士団などの修道騎士団も誕生した。

■　■　■

　11世紀から12世紀にかけては，世界の各地域で分権化が進み，紛争解決の手段として武力が効力を発揮することになった結果，日本とヨーロッパでは戦士（武士・騎士）の社会的地位が向上し，戦士の上層部は貴族階級の一員となっていったのである。日本とヨーロッパの間には直接の影響関係はなかったが，類似の社会状況から結果としてよく似た現象が出現したといえる。もちろん両者には差異もあり，たとえば，ヨーロッパの騎士は叙任式でキリスト教の神の祝福を受けることが身分の象徴となったのに対して，日本の武士は「つわものの家」の系譜に連なるという血統こそが身分の保障となっていたのである。

　またこの時代には，国家の枠にとらわれない人々の活動によって，分散的な諸地域は孤立することなく交流ルートが確保され，地域間を広く統合する次の時代へとつながる。やがて13世紀には，モンゴル帝国の支配権拡大によって，東アジア世界は，西アジアやヨーロッパと結びつけられるようになり，ユーラシア大陸全体を横断する「世界史の誕生」というべき時代を迎えるのである。

■参考文献
小田中直樹・帆刈浩之編『世界史／いま，ここから』山川出版社，2017
小島道裕編『武士と騎士―日欧比較中近世史の研究―』思文閣出版，2010
五味文彦『武士論―古代中世史から見直す―』講談社，2021
佐藤彰一『ヨーロッパの中世1　中世世界とは何か』岩波書店，2008
高橋昌明『東アジア武人政権の比較史的研究』校倉書房，2016

平氏政権と唐物

関 周一

『平家物語』にみえる唐物

　『平家物語』巻一に，次のような有名な一節がある。

　　日本秋津島は纔かに六十六箇国，平家知行の国三十余箇国，既に半国
　　にこえたり。其外庄園田畠いくらといふ数を知ず，綺羅充満して，堂
　　上花の如し。軒騎群集して，門前市をなす。揚州の金，荊州の珠，呉
　　郡の綾，蜀江の錦，七珍万宝，一つとして闕けたる事なし。

　平氏一門のもとに集まる富について述べている。平氏の知行国が日本全
国の半数以上に達していることを述べ，平家に集まる「七珍万宝」，すなわ
ち高級舶来品である唐物を列挙している。ただし「揚州の金，荊州の珠，
呉郡の綾，蜀江の錦」の箇所は，『書経』や『唐書』などの古典を典拠とした，
文飾をこらした表現である。実際にこれらのものを平氏が入手したという
より，いかに最高級の唐物を蓄財していたかを意識した表現だといえる。

中国人海商と博多

　上の記事は，日本と南宋との間で貿易が行われていた時期にあたる。貿
易の担い手は，中国人海商であり，南宋の明州（浙江省寧波市）と博多（福
岡県福岡市）の間を，貿易船が往来していた。中国や韓国の各地で引き揚げ
られた沈没船によれば，貿易船は全長30m前後，幅は9m前後であった。
V字型の船底で喫水が深く，竜骨・隔壁板・網代帆を持つジャンク船と呼
ばれるタイプの中国船（宋船）だった。

　貿易船は，風待ちや小規模な交易などのために，九州の西岸や北岸のい
くつかの港を経由し，最終的には，日本の朝廷が来航すべき港として指定

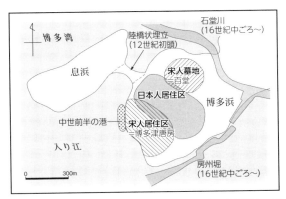

図1　12世紀の博多（大庭泰時『中世日本最大の貿易都市　博多遺跡群』より，一部改変）

した博多に入港した。貿易船の来航は，博多を管理する大宰府から朝廷に報告された。朝廷は，天皇の最終判断を仰ぐ形で海商の博多への滞在とそこでの貿易の可否を決定し，大宰府に通達する。貿易を許可された海商は，大宰府の管理下で貿易を行った。

　博多の基盤地形は，未発達な砂丘である。博多の西には，ラグーン（湾口に発達した砂州などにより外海と切り離されて生じた浅い湖。潟湖ともいう）があり，そこに那珂川や比恵川（御笠川旧経路）が流れ込んでいた。ラグーンに流れ込んだ河川が，博多湾に出るそのすぐ内側に位置している。11世紀ごろ，海側に新たな砂丘が形成され，12世紀初頭，博多浜と陸橋状に埋め立てられた。この新たな砂丘は14世紀前半ごろには息浜と呼ばれた。博多浜西側のくびれ部分および息浜が，中世の港として発展した。

　まず内陸側砂丘の博多浜の西斜面が，港として整備された。白磁が一括して廃棄された遺構が確認され，波打ち際に，破損した商品を廃棄したことを示している。近年，その地点から100mほど南に，港湾施設の一部と考えられる石積遺構が確認されている。

　中国人海商は，この地に倉庫，店舗，住居を構えていた。12世紀には，「博多津唐房」と呼ばれる，中国人海商らが居住する空間が成立した。

　博多居住の中国人海商の代表は，「綱首」または「船頭」と呼ばれた人々

である。彼らは，船主のような経営者だったと考えられる。そして日本の寺社や権門（有力な公家）に帰属し，彼らをパトロンとした。形の上では，貿易船の派遣主は寺社や権門であり，博多綱首はその請負人であった。こうした貿易形態は，権門貿易と呼ばれている。貿易の資本は，博多綱首個人の商品，パトロンである寺社・権門や一般の出資から成る。帰国後，海商は請料を権門に支払っていた。こうした権門の中に，武家の平氏が加わったのである。

平氏と大宰府

　保元の乱（1156）の勝利をきっかけに，平清盛（1118〜1181）は，朝廷内での地位を大きく上昇させた。1158年，清盛は，大宰府の実質的な長官である大宰大弐に就任した。大宰府は，九州（9国2島）の行政・司法・軍事などを管轄するとともに，外交・貿易を管理した。前述したように，博多における貿易は，大宰府の管理下で行われた。大宰大弐の職を得ることは，九州への影響力の強化につながると同時に，同職が貿易の管轄責任者でもあることから，平氏一門が権門（パトロン）として，南宋との貿易に深く関与していくことになった。その後，清盛は九州での政治基盤を強化

図2　大宰府政庁跡（福岡県太宰府市，著者撮影）

するため，国衙の支配に抵抗する，肥前国の日向通良らを破っている。

1160年，清盛は大宰大弐を辞すが，1166年には，弟の頼盛（1132〜1186）がその職に就任し，当時の慣例からすれば異例といえる，現地への赴任を行った。さらに清盛は，筑前国の実力者である原田種直（？〜1185）に接近した。原田氏は，大宰府の要職を占めていた大蔵氏の一族の流れであった。原田氏は，大宰府の府官という立場を通じて，博多における貿易に対しても影響力を持っていた。清盛は，嫡男の重盛（1138〜1179）の娘を種直に嫁がせ，姻戚関係を結んだ。種直は，大宰権少弐に任じられ，大宰府における実権を強めていく。

平清盛と「宋人」

平清盛は，1162年，大輪田泊の改修に取りかかった。博多に来航した宋船を寄港させることを意図したものとみられている。

1170年9月，後白河法皇（1137〜1192。天皇在位1155〜1158）は，清盛の福原山荘において，来航した「宋人」（海商と思われる）と接見した。当時朝廷を主導した九条兼実（1149〜1207）は，その日記『玉葉』において，「我が朝，延喜以来未曾有のことなり。天魔の所為か」と非難している。宇多天皇（867〜931。在位887〜897）が譲位の際に，新帝の醍醐天皇（885〜930。在位897〜930）に残した訓戒である『寛平御遺戒』において，天皇が異国人と直接対面することをタブーとしたにもかかわらず，それに違反したとみなしたからである。この遺戒の背景には，公家のケガレ意識，特に異国人を穢れた存在とみていたことがあげられる。ただし高麗や東南アジア諸国では，中国人海商が現地の「王」と対面することは，しばしば行われていた。

1172年9月，南宋の皇帝孝宗（1127〜1194。在位1162〜1189）から，後白河法皇と平清盛あての外交文書（牒という文書様式）2通と贈り物が届いた。1通の宛先は「日本国太政大臣」（平清盛），もう1通は「賜日本国王」と記されていた。「日本国王」すなわち後白河法皇に「賜」（たまう）というのは，孝宗が後白河法皇に下賜することになり，後白河法皇が孝宗に服属することを意味する。そのため公卿たちの間では，これを無礼とし，贈り

物を返却し，返事（返牒）は不要との意見が大勢を占めた。しかし清盛は翌年3月，「進物」が「美麗珍重」であることを称えた返事を送った。法皇は，蒔絵の厨子1脚（色革30枚を納める。色革は，着色したなめし革）と手箱1合（砂金100両を納める）を，清盛は，剣1腰と手箱1合などを送った。

▎平清盛と『平家納経』・『太平御覧』

　平清盛ゆかりの品といえば，厳島神社に奉納された国宝の『平家納経』があげられる。1164年，清盛は，平家一門の繁栄を祈願して，厳島神社に装飾経を奉納した。『法華経』28品に開経（無量義経）と結経（観普賢経）を加え，さらに『般若心経』『阿弥陀経』『願文』（各1巻）を加えた33巻である。

　いずれも五彩の料紙に金銀の砂子や切箔が散りばめられ，見返しには優美な大和絵や唐絵が描かれ，軸首には水晶・乾漆などが使われていた。

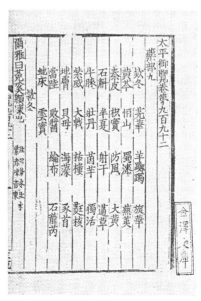

図3　『太平御覧』巻992（金沢文庫旧蔵書。宮内庁書陵部蔵，NHK大河ドラマ特別展「平清盛」より転載）

　表紙や見返し絵に使われた顔料は，すべて舶載品であった。また『法華経』の中の『提婆品』の題簽は，舶載品の瑠璃（ガラス）でできていたという。

　清盛の功績として注目されるのが，『太平御覧』を日本で初めて入手したことである。

　『太平御覧』とは，北宋の太宗（939〜997。在位976〜997）が，李昉（925〜996）らに命じて編集させたもので，983年に完成した類書（百科事典）である。1000巻に及び，天，地，皇王，州郡，封建，職官，礼，楽，道，釈から四夷，疾病，妖異，動植物などの55部門，5000項目を列挙している。長らく禁書となっていて，国外に持ち出されていなかった。

　1179年，来航した宋船が『太平御覧』の宋版の摺本300巻をもたらした。清盛は，早速，購入して副本の写本を作った上で，2月，摺本260巻を内裏に献上した。同年12月，東宮の言仁親王（のちの安徳天皇。1178〜1185）が清盛の西八条邸を訪れた際，清盛は摺本の3巻を献上した。包んだ布は浮線綾で，裏が蘇芳をぼかし染めにした品であった。1011年11月，一条天皇（980〜1011。在位986〜1011）。が新造の一条院に移った際に，藤原道長（966〜1027）が宋版の摺本の『文選』と『白氏文集』を贈った例にならったものである。

■参考文献
大庭康時『シリーズ「遺跡を学ぶ」061　中世日本最大の貿易都市　博多遺跡群』新泉社，2009
河添房江『唐物の文化史―舶来品からみた日本―』岩波新書，2014
山内晋次『さかのぼり日本史9　平安・奈良　外交から貿易への大転換』NHK出版，2013

日宋貿易と森林資源

伊藤 幸司

入宋僧重源

　1181年，61歳という高齢で重源（ちょうげん）（1121〜1206）が東大寺造営勧進職に任命された。源平合戦で焼失した巨大な東大寺の建造物を再建するためには，大量の材木を確保する必要がある。しかし，すでに畿内近国にはこうした材木を供給できる杣（そま）（材木を切り出す山，造営・修理用材をとる目的で所有する山林）はなかった。重源は，それを周防国の徳地（すおう）（とくぢ）（現在の山口県山口市）の杣に求めた。鎌倉時代の東大寺は，重源が調達した徳地の材木によって見事に復活したのである。

図1　重源像（東大寺蔵，朝日新聞社提供）

　しかし，それまで中央政界でほぼ無名の人物が，東大寺再建という国家プロジェクトの責任者になぜ抜擢されたのであろうか。また，なぜ重源は周防の杣山に目を付けたのであろうか。それは，彼が中国大陸の南宋に渡ったことのある入宋僧であったことと関係する。

　重源は，入宋して明州（寧波）近郊にある阿育王寺を巡礼した。ここには，インドのアショーカ（阿育）王が作った8万4000の仏舎利塔（釈尊の遺骨を納めた塔）の一つと信じられる塔を祀る舎利殿があった。呉越国以来，阿育王寺は大陸で流行した舎利信仰の聖地として有名であった。

重源の板渡

　重源が参詣したころの阿育王寺は，妙智従廓（1119〜1180）という経済的手腕に優れた禅僧が「釈迦真身の舎利」信仰を宣伝することで，活発に伽藍修造と理財経営を展開していた。こうしたなか，重源も阿育王寺舎利殿の修造のことを請け負ったのである。重源がみずからの事績を書き連ねた『南無阿弥陀仏作善集』には次のようにある。

　　大唐明州阿育王山に周防国の御材木を渡し，舎利殿を起立したてまつる。修理のため，また柱四本・虹梁一支を渡したてまつる。南無阿弥陀仏の影，木像・画像二体，阿育王山の舎利殿に安置し，香華などを供す。

　つまり，重源は日本に帰国後，周防の材木を送って阿育王寺の舎利殿を新造し，さらに修理のために柱4本と虹梁（梁の一種で，虹のように上にややそって柱の頭部と頭部をつなぐ）1本も送ったという。重源の行為の背景には，当時の日本政界の重鎮・後白河院（1127〜1192）の意向があったという。重源が阿育王寺の舎利殿新造の情報をキャッチし，後白河院に働きかけて，周防の材木を送ったというのである。重源や栄西（1141〜1215）など，このころの入宋僧は平氏・後白河政権とかかわりのある人物が多く，重源の入宋自体も後白河院の意向を受けたものであった可能性が指摘される。近年では，この舎利殿建立事業とは，重源・栄西が入宋時に請け負い，帰国後，天台座主明雲（1115〜1184）を通じて後白河院と平清盛（1118〜1181）の援助を獲得し，1170年代前半を中心に実施されたとの新説も

出されている。いずれにせよ，これが舎利信仰の隆盛を利用して阿育王寺が積極的にキャンペーンを展開していた勧進に応えたものであったことは明らかである。

中国で珍重される日本の材木

当時の日宋貿易における日本からの主要な輸出品の一つが材木であった。重源の板渡は，こうした日宋貿易のルートを介して行われたのであり，それは国境をまたぐ海を越えた材木の寄進行為であった。重源が周防産の材木を渡したのは，これ以前から重源と周防の杣との関係があったことによる。1171年ころから建立が始まっていた博多湾の今津にある誓願寺の本尊を造る際，重源は周防の杣人から用材を調達していた。さらに，材木寄進を行ったころの周防国が後白河院の分国（1177～1179）であったことは，周防産の材木を渡すことを決定づけたといえよう。彼がこうした材木情報を入手できたのは，入宋のために九州博多に下向していたからである。おそらく，博多の宋商人たちによって，すでに周防の杣から材木を輸送するルートが整備されており，当地の材木が陸続と大陸に輸出されていたのであろう。それゆえに，重源も材木産地の情報として周防の杣の存在を知り得たと思われる。後に大勧進職となった重源が，東大寺再建の材木を周防国の徳地の杣から切り出していることを考えれば，彼は以前から材木の有望な産出地として徳地の情報を把握していたのであろう。こうして考えると，重源が阿育王寺に寄進した周防産の材木も徳地から切り出されたものであった可能性が十分にある。

南宋社会における環境破壊

ところで，重源は阿育王寺の勧進に応える手段として，なぜ材木の寄進を行ったのであろうか。喜捨（寄附）であれば，単純にお金でもよかったと思われる。しかし，この場合，材木という現物の寄進であったことに大きな意味があったのである。

阿育王寺のある南宋は，1127年に金が華北に侵入し宋朝の都・開封を占領したため，新たに都を長江南岸の臨安（杭州）に移して成立した国家であ

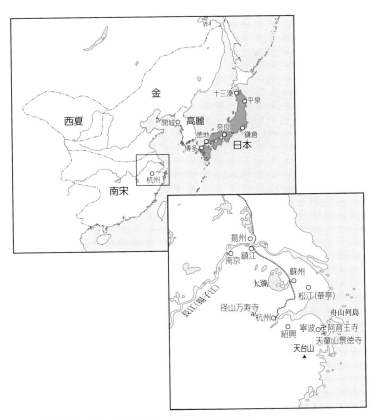

図2　南宋図（伊藤幸司「徳地からひろがる「材木の道」」）

る。そのため，江南地域では首都建設や大寺院の建造といった巨大公共事業のみならず，金（後にはモンゴル）との防衛戦争のための水軍整備が急速に進められた。こうした大事業の展開は江南地域に経済的活況をもたらしたものの，同時に都市や寺院の建築，そして水軍に不可欠な船の建造には大量の材木が不可欠であったことから，南宋社会は徐々に森林資源の枯渇という深刻な問題に直面することとなった。森林資源の枯渇は，南宋社会における材木の値段の高騰を招いた。この結果，新たな材木の供給先を求めていた南宋社会が，日宋貿易によって経済的な結びつきを強めていた日本に注目した。当時の日本列島は，大陸に砂金・硫黄・材木などを積極的

図3　東大寺南大門(著者撮影)

に輸出する資源供給地域であり，南宋社会を支える存在であった。大陸の
材木に比べると安くて質のよい日本の材木は，建築用材のほかにも調度品
や棺桶の用材として南宋社会で人気があったのである。

日本の櫧木とは何か

　南宋に輸出された日本の材木には，松板・杉板のほかに櫧木があった。
櫧木は，「色は白く，筋は黄色く，模様は粗く，愛でるべきものである。こ
れを倭櫧と言う」(1387年・曹昭『格古要論』巻下・櫧木)との説明があるの
で，おそらくヒノキを指しているのだろうと考えられている。ヒノキは，
日本では「檜」と書くが，中国ではヒノキは自生しないためにヒノキにあ
たる漢字もなく，中国で「檜」といえばビャクシンを示すという。ヒノキ
は木目も美しく，建築用材としては最適であり，日本のヒノキが南宋社会
で珍重されたであろうことは想像に難くない。このように，南宋社会がお
かれた状況を考えれば，重源が寄進行為として材木の現物提供をしたのも
合点がいく。材木が欠乏する南宋社会の寺院再建では，お金よりも良質な
材木を寄進の形で供給したほうがより現実的であり，寄附される寺院とし
てもありがたかったのである。

　このように，重源は，入宋僧として大陸の寺院修造に携わる経歴を持つ
僧侶であった。東大寺を最新の大陸仏教のモードで再建することを希望し

た後白河院が，最新の大陸仏教に直接触れ，さらに大陸の寺院修造の経験を持つ重源を東大寺大勧進職に抜擢したのも当然であった。そして，大勧進職となった重源は，みずからの経験にもとづき，すでに材木搬出の環境が整っていた周防徳地の巨木を用いて東大寺の再建を果たしていくのである。

　なお，重源によって再建された東大寺は，その後，戦国時代の兵火によって，南大門のみを残してふたたび焼失することになる。

■参考文献
伊藤幸司「徳地からひろがる「材木の道」」『大学的やまぐちガイド』昭和堂, 2011
岡元司「南宋期浙東海港都市の停滞と森林資源」『史学研究』220, 1998
藤田明良「南都の唐人」『奈良歴史研究』54, 2000
横内裕人「重源における宋文化」『アジア遊学』122, 2009
渡邊誠「後白河法皇の阿育王山舎利殿建立と重源・栄西」『日本史研究』579, 2010

硫黄島

山元 研二

　九州の南にある小さな火山島が，一時期東アジアの情勢と大きく関わっていたという事実をほとんどの人は知らない。

貿易港としての坊津

　鹿児島県南さつま市に坊津という港町がある。県内はもちろん全国的にも「かつての貿易港」として有名である。高校で使用されている教科書・図録では「鑑真の漂着地」「遣唐使の寄港地」「日宋貿易の寄港地」「日明貿易の寄港地」「江戸時代の西廻り海運の寄港地」として地図中にその位置が坊津の名とともに記されている。また，江戸時代に限ると，琉球を経由した「密貿易」の港としても知られている。

　では，坊津が港町として栄えた最盛期はいつであったのか？　歴史研究者の間では「日明貿易から戦国時代の室町期」であったとする説が有力である。

図1　現在の坊津港（著者撮影）

　そして，坊津の隆盛には近海にあるひとつの島の存在が大きく関わっている。それが硫黄島（現在の鹿児島郡三島村）である。室町期に坊津に寄港する中国船の多くはこの硫黄島を往き来する商船であった。何のために硫

図2　空から見た硫黄島（永山修一氏撮影）

黄島を往き来していたのか。それは，島に豊富にある硫黄を積み込むためであった。

　戦国大名であった島津氏もこの硫黄貿易に着目し，坊津の港を整備するなど手厚く保護した。九州では，他に大友氏も九重（くじゅう）産出の硫黄の貿易に力を入れていたが，戦国時代最終盤における九州の覇権をめぐる島津と大友の攻防は，見方を変えれば「硫黄等九州における貿易の主導権を誰がにぎるかをめぐる争い」であったともいえる。

硫黄島と東アジア

　鹿児島港から硫黄島まではフェリーで4時間ほどかかる。島の面積は約12km²。海岸線の長さは約15km。人口は約120人となっている。鹿児島県には桜島，霧島，開聞岳など多くの火山が存在する。この硫黄島も火山活動が作り出した島のひとつであり，現在でも島の中心に位置する標高703mの硫黄岳が噴煙を上げ続けている。硫黄島は，約7000年前に南九州の文明を壊滅させるほどの大噴火をもたらした鬼界カルデラ（南北16km，東西23km）の北外縁に位置している。活発な火山活動により現在でも硫黄が豊富に存在する。港のなかも硫黄の色に染まっており，硫黄島はまさに「硫黄の島」である。その硫黄こそが坊津隆盛の理由なのである。

　硫黄は主に薬としての役割と火薬の原料としての役割があるという。薬については，硫黄は体内に必要な要素として認識されており，漢方薬の成

図3　硫黄の色で染まった硫黄島の港(永山修一氏撮影)

カラー画像▶

分として重宝されてきた。火薬については，発火作用を利用した「炬料・燃料」としての需要といわゆる「武器としての火薬の原料」としての需要があった。近代における硫黄の需要はマッチの材料としてであったが，現在需要は大きく低下しており，硫黄島でも1964年を最後に鉱山は閉山となった。しかし，室町期の硫黄の需要は何といっても武器としての火薬の原料としてであった。輸出先は長い間，主に中国（明）であったが，16世紀前半には琉球産の硫黄が中国に輸出されるようになり硫黄島から中国に向けた輸出量は減少したようである。その後は多様なルートにより海外に運ばれていたものと思われる。その理由は，火薬技術が中国から東南アジア各地に伝えられるとともに東南アジア各地に硫黄の需要が生まれたことによる。江戸時代初期には薩摩藩から幕府に調達され，朱印船貿易により東南アジア各地に輸出されていたようである。

　当時，この硫黄島で硫黄が産出されることは国内外に広く知られていた。15世紀の朝鮮の書『海東諸国紀』の「九州の図」のなかには「硫黄を産し，日本人これを採る」とあり，16世紀の中国の書『籌海図編』には「大隅の海中に在りて，土に硫黄を産す。故にこれを名づく」とある。江戸時代の

本草学者佐藤中陵の『中陵漫録』には「薩州の硫黄島は，天下随一なり」
と紹介されている。その場所・地名だけでなく，その産出量，品質ともに
有名であったと思われる。鎖国体制下に入ると，薩摩藩が採掘を続け，明
治に入ると民間企業に払い下げられた。その後も経営母体は変化しながら
も採掘は継続され島の主要産業として昭和30年代に最盛期を迎えるが，硫
黄精製の技術が開発されマッチ等の需要の減少にともない生産も縮小され，
前述したように1964年に閉山を迎えた。

　硫黄が中国に輸出されるようになったのは室町期からさらに時代を遡り，
日本における平安末期，中国においては宋（南宋）の時代といわれている。
中国では，唐の時代にすでに硫黄と硝石と木炭粉を混ぜ合わせて黒色火薬
を製造する方法が発明されており，宋（北宋）の時代に入ってその用途とそ
れにともなう需要は飛躍的に拡大していた。

　なぜ，中国は海を越えて日本に来てまで硫黄を手に入れようとしたのか。
それには切実な理由が存在した。当時の中国の王朝である宋は西部にある
西夏とたびたび戦争状態となり和議を結んでいる間も長く軍事的緊張状態
にあった。当時の戦争において火薬は貴重な武器であり，火薬の原料であ
る硫黄はどうしても手に入れなくてはならないものであった。しかし，当
時の宋は同じく火薬の原料である硝石は豊富にあったが，国内に硫黄はほ
とんどなかった。硫黄は周知の通り火山活動の活発な地域で産出されるも
のであるが，現在の中国の国土とは異なり宋の領域は各戦争における敗北
により縮小されており，国内に火山地帯は存在せず，硫黄はほとんどなか
ったのである。

　そして，目をつけたのが当時良好な関係にあった日本の硫黄であった。
遣唐使の廃止以後，国交という形をとらない日宋の貿易の主体は商人であ
り，おそらく硫黄に関しては中国の商人が主導して貿易を行っていたと思
われる。硫黄が産出されるのは決して日本国内では硫黄島だけではないが，
中国との距離，交通の便からいって硫黄島が最適な産地であったと考えら
れる。

　なお，のちに宋（南宋）は元（モンゴル帝国）に滅ぼされるわけであるが，
元が日本を攻撃した理由のひとつに「日本の硫黄が宋軍の火薬製造につな

がっていたから」という説もある。そうであるとすれば硫黄島の硫黄がモンゴル襲来の一因であったということになる。

「絶海の孤島」は「交易の島」

硫黄島は「俊寛（1143～1179）流刑の地」として記憶している人もいると思われる。後白河法皇（1127～1192）の近臣たちが鹿ヶ谷で行った平氏打倒の謀議が密告され，首謀者のひとりであった僧俊寛は同じく謀議に加わった平 康頼（1146～1202），藤 原 成経（1156～1202）とともにこの硫黄島に流された。のちに康頼と成経は恩赦で都に帰ることができたが俊寛は鹿ヶ谷の変の「首謀者」とみなされ許されず，浜辺で悔しがる様が歌舞伎「足摺」に描かれてもいる。

当時，硫黄島は「日本の最南端」とみなされており，噴火のたえない火山の島に流された俊寛はさぞ嘆き悲しんだものと思われる。しかし，俊寛の悲しい境遇を描いた『平家物語』には次のような描写も見られる。

> 島のなかには，たかき山あり，鎮に火もゆ。硫黄と云物みちみてり。かるがゆえに硫黄が島と名付けたり。（島のなかには高い山があり，いつも火が燃えており，硫黄というものが満ちあふれている。このために硫黄が島と名付けている。）

今も確認できる硫黄島の様子が正確に描かれているといえる。

また，俊寛の弟子有王が俊寛を訪ねて硫黄島に来た際に，弱り切った体の俊寛は次のように語っている。

> 此島には人のくひ物たへてなき所なれば，身に力の有りし程は，山にのぼって湯黄（硫黄）と云物をとり，九国（九州）よりかよふ商人にあひ，くひ物にかへなんどせしか共，日にそへてよはりければ，今はその態もせず。（この島は人の食べるようなものが全くない場所なので，体力のあるうちは，山にのぼって硫黄というものをとって，九州からやってくる商人にあい，食物と交換などしていたが，日ごとに体が弱ってきたので，今はそのようなこともしない。）

「絶海の孤島」のイメージとともに「硫黄を掘る島人」や「硫黄を買い付けにくる商人」の姿も描かれている。最南端と目された硫黄島は，まさに「境

154

図4 硫黄島（永山修一氏撮影）

界の島」であるが，見方を変えれば海外との接点にある島であり，硫黄島の場合，硫黄を通じての「交易の島」でもあった。

　九州本土南端から硫黄島は見える。昔の人は「あそこがこの国の果て」と見たのであろうが，その背後は海を隔てて海外に通じている。実際に，長い間硫黄貿易を介して世界とつながっていたのである。その硫黄は今でもこの島を黄色く色づかせている。

　歴史の授業において，中世の東アジアについて触れる際に，ぜひ地図のなかの小さな硫黄島を紹介していただき，「ここから運ばれた硫黄が宋や明に運ばれ，火薬となり，東アジアの戦争と平和をめぐる状況に影響を与えていた」という事実を伝えていただきたい。

　かつての「絶海の孤島」は，実は「東アジアと大きなつながりを持つ島」であったことをもっと多くの人に知ってほしいものである。

■参考文献
石井進『日本の中世1　中世のかたち』中央公論新社，2002
鹿毛敏夫『硫黄と銀の室町・戦国』思文閣出版，2021
永山修一「キカイガシマ・イオウガシマ考」『日本律令制論集下巻』吉川弘文館，1993
山内晋次『日宋貿易と「硫黄の道」』山川出版社，2009

十字軍と「キリストの騎士」

櫻井 康人

十字軍とは何か？

　本題に入る前に，「十字軍とは何か？」ということを確認しておこう。日本の学校教育に基づく定義が，現在の十字軍史研究学界のそれとは大きくかけ離れているからである。学界においては，次のように定義されている。十字軍の本質はキリスト教会の敵と戦うことによって得られる贖罪であり，その運動は時間的には 1095 年から 1798 年までの約 700 年間にわたって，空間的には中近東や北アフリカのみならずヨーロッパ各地で展開された，と。

　詳細は省くが，ここで押さえておきたいのは，十字軍運動は 13 世紀まで展開された聖地の維持・奪回のためのものに限定されない，ということである。従って，長期および多方面で展開された十字軍運動には多様な人々が直接・間接に関与したが，ここでの課題は 11 〜 12 世紀における十字軍と騎士との関係に置かれるので，以下ではそれを中心に話を進めていくこととする。

「キリストの騎士 (miles Christi)」の形成

　十字軍士は「キリストの騎士」とされたが，その形成は第 1 回十字軍が始まる前のヨーロッパ世界の実情によるものであった。重要なポイントは，神の平和運動・正戦理念・叙任権闘争の三つとなる。

　「騎士」と呼ばれる戦士集団は古来存在したが，それが社会的身分として定着するのは 11 世紀半ばまでであった。それに先立つ 10 世紀，カロリング朝フランク王国の崩壊の結果に生じた中央権力の弛緩により，とりわけ

西フランク王国(フランス王国)領では秩序の混乱状態に陥った。各地で領主・城主としての実力を蓄えた騎士たちは互いに争い，その渦中に教会人が巻き込まれることも少なくなかった。このような状況への対応策として生じたのが，「神の平和 (Pax Dei)」である。当初は俗人間の休戦協定であったが，史料上では989年のシャルー教会会議より，破門などの教会罰を科すことのできる教会人が主導権を握るようになっていく。そこで規定されたのは，「戦う人（騎士）」による「祈る人（教会人）」・「働く人（農民や商人など）」への暴力の禁止である。さらに1027年には，「神の休戦 (Treuga Dei)」が加わることとなった。そこでは，キリスト教の祝祭日，主の休日である日曜日，夜間など，特定期間・時間における武力行為の禁止が謳われた。

　以上が神の平和運動の概要であるが，注意しておきたい点が二点ある。一つは，そこで目指されたのは武力行使のルール化であり，武力行為そのものは禁止されていないことである。もう一つは，およそ前近代においては平和・秩序ある世界の実現者が支配者である（逆に言えば，支配者が平和・秩序ある世界を実現しなければならない），という考え方が一般的であったことである。そして，教皇庁が初めて「神の平和」を規定したのが，1095年のクレルモン教会会議であった。すなわち，同会議は教皇がヨーロッパ世界の支配者であることをアピールした場であった。では，なぜそのようなことが可能となったのであろうか。

　武力行為をキリスト教教義の中に位置づけようとする試みは，古来なされていた。その原点とされるのが，5世紀前半に聖アウグスティヌス（354〜430）が『神の国』の中に記した「正戦 (justa bella)」である。それは次のようなものである。戦いによって相手を傷つけること，さらには死に至らしめることは大罪であるが，正当防衛，正しい意図に基づく戦い，正しい権威に導かれた戦いの場合に関しては，誤った者を正すための「人」の戦いとして「神」に容認される，と。ただし，それはすぐさまキリスト教世界に定着したわけではなかった。『神の国』自体は多くの写本が作成されたが，正戦の項目は長らく沈黙する。

　しかし，11世紀後半にそれは復活した。教皇グレゴリウス7世（在位1073〜1085）の下の枢機卿であったイタリア中部に位置するルッカの司教

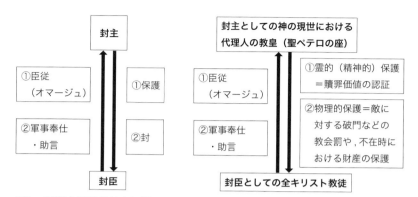

図1　封建主従関係(左)と「聖ペテロの騎士」(右)

（小）アンセルムスは，ドイツ国王（ローマ皇帝）ハインリヒ4世（在位 1053〜1105）の軍勢によってルッカを追われた 1081 年，『正しき報復・懲罰について（*De vindicta et persecutione justa*）』を著した。そこでアンセルムスは，アウグスティヌスの正戦理念を援用しつつ，罪とはならない戦いを次のように定義する。かつてモーセは神の命に従って人命を奪ったが，それは残虐の罪には値しなかった。報復＝懲罰は憎しみからではなく愛情からなされるべきであり，その戦いにおいては良き意志が働く。従ってそのような戦いをなす人々もまた正当であり，敵は選択によってではなく必然（＝神の意志）から討たれるのである。そして，正当なる戦いを行う者たちのために教会人は祈るべきである，と。このように，叙任権闘争という文脈の中で正戦は息を吹き返したのである。

　叙任権闘争とは，聖職者の任命権であるところの叙階の秘跡をなす権限の所在を巡る，教皇と世俗権力者との間の争いである。それは必ずしもハインリヒ4世とのものに限定されないが，彼とグレゴリウス7世との争いが最も重大であったことに間違いはない。

　教皇はヨーロッパ世界における霊的権威であったが，物理的な権力（＝軍事力）という点ではドイツ国王に遠く及ばなかった。正戦理念は復活させられたが，それは物理的な問題を解決するわけではない。そこで教皇側が創出したのが，「聖ペテロの騎士（miles Sancti Petri）」という概念である。騎士たちの間で一般的であった封建主従関係を援用して構築されたこの概念

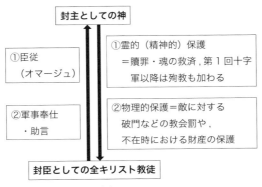

図2　「キリストの騎士」

（疑似封建制概念）により，理屈の上では教皇はすべてのキリスト教信徒を家臣とすることができた（図1）。その効果を過度に強調することはできないが，一定の効果を有したことは，ウィトール3世を挟んで教皇座を継いだウルバヌス2世（在位1088〜1099）の時代の1095年初頭，ハインリヒの嗣子コンラートがウルバヌスに臣従した上で父親を幽閉し，ローマを教皇に返上したことが端的に物語っている。そして，ウルバヌスがハインリヒに勝利することで，「聖ペテロの騎士」は神に直結する「キリストの騎士」へと上昇することが可能となった（図2）。これを受けた同年11月のクレルモン教会会議における「神の平和」の公式採択は，勝利者である教皇こそが現世の支配者である，というアピールであった。

　以上のような経緯で，かつては教会を苦しめる「悪しき者（malatia）」とされた「騎士（militia）」たちは，活動自体は変えずとも，攻撃対象を変えることで教会罰を受ける対象から贖罪価値を認められる対象へと転化することが可能となったのである。そして，「キリストの騎士」の誕生により，「人」を主語とした正戦も，「神」が「人」を導く「聖戦（sacra bella）」へと転化したのである。さらに，クレルモン教会会議後になされたウルバヌスの演説によって東方に活動の場を提供された「キリストの騎士」たちによるイェルサレム占領は，その正当性を証明する結果を生んだ。

■「キリストの騎士」の実態とその後の展開

　「キリストの騎士」となった者たちの動機は，人それぞれである。例えば，1168 年にギー・ド・リュジニャン（後のイェルサレム国王〔在位 1186 〜 1192〕，キプロス国王〔在位 1192 〜 1194〕）がポワトゥー伯リチャード（後のイングランド国王リチャード 1 世〔在位 1189 〜 1199〕）の家臣を殺害した罪から逃れるために，東方に向かったように，犯した罪から逃れた上で贖罪を得ることを動機とした者は少なくなかった。

　さて，このギー・ド・リュジニャンに関して，もう一つ付け加えておきたいことがある。それは，彼の父ユーグ 8 世は第 2 回十字軍に参加し，その後も 13 世紀末に至るまでリュジニャン家からは数多くの十字軍士が輩出された，ということである（図3）。家督を継げない次男以下の者たちが財を求めて東方に向かったというイメージがかつては強かったが，近年の研究は，十字軍運動は特定の家系（傍系を含む）によって支えられたのであり，そのような十字軍家系は私財を投げ打って運動に身を投じていた，ということを明らかにしている。

　ただし財源について，1169 年に教皇アレクサンデル 3 世（在位 1159 〜 1181）は十字軍宣誓代償制（自身で参加する代わりに金銭を提供することで贖

図3　リュジニャンの町の正門（著者撮影）　右はリュジニャン家の紋章，左はイェルサレム十字を含むキプロス国王家の紋章。

罪を得る制度）を導入することで，十字軍士の負担軽減を試みた。この段階では対象は騎士階級に限定されたが，1198年に教皇インノケンティウス3世（在位1198〜1216）はその範囲を全キリスト教徒に拡大した。同年には，十字軍税の導入も開始された。このようにして，十字軍運動は言わば大衆化したのである。

「キリストの騎士」は俗人の美徳・価値観と融合する形で，13世紀以降に顕著となる理想の騎士像を求める騎士道の形成に寄与することとなり，徐々に閉鎖性を帯びていく上流騎士階級（貴族階級）の者たちを惹きつけ続けた。一方で十字軍運動の担い手は，資金を蓄えた教皇庁の下で，13世紀半ば以降より徐々に傭兵隊へと比重を移していくことになる。

なお，12世紀の段階での十字軍運動は聖地十字軍に加えて，イベリア半島で展開されていたレコンキスタや，ドイツ北方の異教徒であるヴェンド人に対する攻撃に贖罪価値が認められるに限定されていたが，教皇庁による財源の確保が13世紀以降の十字軍運動の多局面化を可能にしたのである。

■参考文献
櫻井康人『ふくろうの本／世界の歴史　図説　十字軍』河出書房新社，2019
同「Ad liberandam までの「十字軍運動」の展開―「贖罪」と「平和」との関係を中心に―」『ヨーロッパ文化史研究』22号，2021
フロリ，ジャン（新倉俊一訳）『中世フランスの騎士』白水社（文庫クセジュ），1998
スターク，ロドニー（櫻井康人訳）『十字軍とイスラーム世界―神の名のもとに戦った人々―』新教出版社，2016
八塚春児『十字軍という聖戦―キリスト教世界の開放のための戦い―』NHKブックス，2008

映画『キングダム・オブ・ヘブン』

櫻井 康人

　この映画は，『グラディエーター』（2000）を手掛けた監督リドリー・スコットにより，2005 年にアメリカで作成されたものである。舞台は，ボードゥアン 4 世癩王（在位 1174 〜 1185），ボードゥアン 5 世（在位 1185 〜 1186），ギー・ド・リュジニャン（在位 1186 〜 1192）の時代のイェルサレム王国である。当時，イスラーム世界では，エジプトに成立したアイユーブ朝のスルタン，サラーフ・アッディーン・ユースフ・ブン・アイユーブ（在位 1169 〜 1193）がシリア地域のイスラーム勢力も支配下に置くことに成功していた。

　本劇にもあるように，1187 年 7 月 4 日ヒッティーン（ハッティーン）の戦いでイェルサレム王国軍は大敗北を喫して多くの戦力を失い，国王ギー以下の多くの者が捕虜となった。そして 9 月 20 日にイェルサレムの前に姿を現したサラーフ・アッディーンに対して，その防衛に当たっていたイブラン（劇中では英語読みのイベリン）領主バリアン（もしくはバリサン 2 世）は，交渉の末の 10 月 2 日に町を明け渡した。恐らくは，このバリアンとサラーフ・アッディーンとの間の「平和的」な解決に，リドリー・スコットはインスピレーションを得たのであろう。本作品で強く訴えられているのは，平和・共存と相互理解である。ある程度は史実に基づくとはいえ映画はフィクションであり，フィクション部分の処理の工夫にこそ，作品独自の魅力が際立つ。従って史実と突き合わせて異を唱えることは興ざめではあるが，ここでは二つのエピソードを紹介したい。

　劇中のイベリン領主ゴッドフリーとその庶子である鍛冶屋のバリアンは架空の人物である。実際のイブラン家は，1134 年に国王フルク（在位 1131 〜 1143）よりバリサン 1 世に，ヤッファ（現テルアビブ）とアスカロン（現アシュケロン）の中間に位置するイブランの地が下封されたことから始まる。バリサン 1 世には 3 人の息子がいたが，次男ボードゥアンがイブランの北東約 7km に位置するラムラを，3 男バリアンがイブランの地を継いだ。この 3 男が劇中の主人公のモデルで

あることは言うまでもない。ボードゥアンとバリアンの兄弟は，1140年代より国王との密接な関係から王領であるナーブルス領内の幾つかの村落を所有していたが，ある事件がそこで起こった。1156年から1174年にかけて，ボードゥアン兄弟による重税や体罰などの圧政を原因として，計155人のムスリム農民たちが逃亡した。劇中で描かれるような，農民たちとともに自ら井戸掘りに汗を流す元鍛冶屋の領主バリアンの姿とは大きくかけ離れた，実際のバリアンの姿がここにある。しかし，このような農民の逃亡が頻発したわけではない。実にこのナーブルスの事件は唯一の例外であり，概してイェルサレム王国領内のムスリム農民たちが，戦時を除いては平穏に暮らしていたことは強調しておきたい。キリスト教徒領主たちも，農民たちが自分たちにとって重要な経済基盤であり，生存基盤であったことは重々承知していたのである。

　もう一つは，サラーフ・アッディーンによるイェルサレムの住民たちの解放の模様についてである。劇中では無償・無条件でなされたかのように描かれ，サラーフ・アッディーンが聖墳墓教会内部の十字架を正しく置きなおす姿は，その「寛容さ」を際立たせる。しかし，彼とバリアンとの交渉は実際には次のようなものであった。都市イェルサレムの人口は，通常であれば約2万人であったが，当時はすでに陥落した他都市からの避難民の流入によって6万人にまで膨れ上がっていた。サラーフ・アッディーンは男性一人につき10ベザント（金貨），女性は5ベザント，子供は1ベザントで解放することを提示した。しかし，そのうち約2万人に支払い能力がないことが判明すると，彼らについては総額10万ベザントで解放するとした。それでも資金不足であったため，バリアンは7000人を3万ベザントで解放するように要求し，妥結された。そして，10月2日から撤退が始まり，11月10日に完了した。言うまでもなく残りの1万3千人は奴隷となった。

　以上，二つのエピソードに共通するのは，「寛容」の精神ではなく，現実には経済的な思惑が背後にあったことである。

■参考文献
櫻井康人『十字軍国家の研究―エルサレム王国の構造―』名古屋大学出版会，2020
同「フランク人支配下の都市エルサレム―観光産業都市への発展―」守川知子編『都市からひもとく西アジア―歴史・社会・文化―』（アジア遊学264）勉誠出版，2021

第6章

13世紀の世界

13世紀後半

スウェーデン王国
デンマーク王国
ドイツ騎士団領
イングランド王国
ロンドン
神聖ローマ帝国
ポーランド王国
キエフ（キーウ）
キプチャク・ハン国（ジョチ・ウルス）
ヴォルガ川
サライ*
アラル海
カスピ海
フランス王国
パリ
ヴェネツィア
ハンガリー王国
ナバラ王国
カスティーリャ王国
ポルトガル王国
リスボン
トレド
教皇領
アラゴン王国
ブルガリア
黒海
コンスタンティノープル
タブリーズ
サマルカンド
ナスル朝
ビザンツ帝国
イェルサレム
カイロ
バグダード
ペルシア湾
イル・ハン国（フレグ・ウルス）
ホルムズ
デリー
インダス川
地中海
大西洋
サハラ砂漠
ナイル川
マムルーク朝
紅海
アラビア半島
アラビア海
トンブクトゥ
ニジェール川
マリ王国
カネム王国
チャド湖
コンゴ川

→ マルコ・ポーロの行路

マルコ・ポーロ

モンゴル軍の兵士

＊サライの位置については諸説ある。

モンゴル帝国

サハリン島

アムール川

カラコルム

モンゴル高原

チャガ
○アルマリク
タイ・ハン国
チャガタイ・ウルス）

元
（**大元ウルス**）

黄河

上都

大都

開城

高麗

日本

鎌倉

チベット

ラサ

汴梁

杭州

博多

東シナ海

ヒマラヤ山脈

デリー

スルタン朝

長江

泉州

30°

ガンジス川

広州

太平洋

パガン

大越
（**陳朝**）

南シナ海

スコータイ朝

メコン川

チャンパー

フィリピン諸島

パーンディヤ朝

カンボジア

マレー半島

スマトラ島

カリマン
タン島

0°

イ ン ド 洋

ジャワ島

ニューギニア島

シンガサリ王国

90°

120°

150°

モンゴルの世界帝国

諫早 庸一

　13世紀のユーラシア史はモンゴル帝国(1206〜1368)によって特徴づけられる。1206年にモンゴル高原の諸部族を糾合し，帝国の祖となったチンギス（在位1206〜1227）とその後継者たちはその後わずか半世紀ほどのあいだに，中国・中央アジア・ロシア・イランといった地域を直接支配下に置く，史上最大の陸上帝国を現出させた。モンゴルのユーラシア統治は，その支配領域の各地において通行税その他の課税や道中の略奪者たちを取り除き，地域間交流をそれ以前にはない規模で高めることとなる。モンゴル帝国の建設によって創出されたこのような状況は，よく「パクス・モンゴリカ（モンゴルの平和)」と表現される。ではこの「パクス・モンゴリカ」のなかで，モンゴル帝国は何をつないだのであろうか。

「13世紀世界システム」と宗教的寛容

　都市社会学者のジャネット・アブー＝ルゴド氏は，「13世紀（1250〜1350年)」にはヨーロッパから中国まで，ユーラシアを覆う国際交易網が発達し，単一の言語・宗教・帝国に規定されない多元的な8つのサブ・システムが重なり合う「13世紀世界システム」が成立していたとした。図1にあるように，アブー＝ルゴド氏の構想のなかで個々のサブ・システムをつなぐものは都市であった。しかし，このシステムの中枢にあったモンゴル帝国は〈移動〉の帝国であった。そのなかで政治・経済・文化の中心たる「首都」は都市にではなく君主のオルド（移動宮廷）にあった。オルドはひとところに留まることなく，季節ごとに移動していた。その季節の〈移動〉の道を大きな幹線として，そこに交易の道や遊牧の道が交差していく。そして，その交差点に都市が生まれる。定住国家のように都市という「点」を起点にそれらをつなぐ「線」を考えるのではなく，〈移動〉という「線」をまず考え，それが交わる「点」としての都市を考えていく。遊牧国家については，定住国家についてとはまた異なった思考が必要とされるのである。

　基本的にはモンゴルの支配は，特にその行政において，在地のものを大いに利用していたといわれる。例えば，信仰や宗教もまた，在地のものを利用するという統治原則から考えることができる。近年では他宗教に寛容であったことが強調

されるモンゴルであるが，宗教に
関してモンゴルは，現世の指針と
彼らが見なしていた遊牧民伝統の
シャーマニズムと，来世の安寧を
説く他の諸宗教とを相競い合うも
のとはそもそも見ていなかった。
そして，当時際立った規模で組織
化されていた諸宗教——仏教・道
教・儒教・イスラーム教・キリス
ト教——に関してはまさに統治に
おけるその有用さを認めたがゆえ
に厚遇する一方，そのような規模

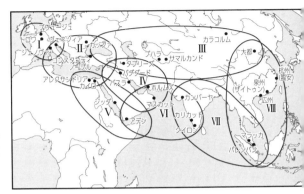

図1　「13世紀世界システム」(アブー＝ルゴド，J.
L.『ヨーロッパ覇権以前』上巻より)

での組織を持たなかったユダヤ教・マニ教・ゾロアスター教は多くの場合，彼ら
の配慮するところではなかった。1260年代以降，統一帝国解体後の４つのウルス
（くに）において，大元ウルス（元朝）を除く西方の３ウルスはいずれもイスラー
ム化し，大元ウルスは仏教に傾斜していく。それらはいずれも個々の地域の支配
の文脈にかかわる政治的な選択であった。

人・物・情報を〈換算〉する

　このように多元性の包含とその利用は帝国の大きな特徴である。しかし，こう
した多元性に沿い，在地のものを利用することだけがモンゴル帝国の特徴だった
のであろうか。おそらくモンゴルのユーラシア統治はそれ以上のものであった。
広大な版図を有していたモンゴル帝国は，そうした在地のもの同士を確かにつな
いでいた。しかし，それは近代帝国のように自らを基準として他のものをそれに「統
合（integration）」するような類のものでもなかった。近代帝国による「統合」に
ついては，例えば現在我々が用いている暦を考えたい。世界中で現在，イエスの
生年を紀元とする「西暦」が用いられていることには，例えばその暦の科学的な
優位性であるとかそのような観点からの根拠は存在しない。あるのはそれが西洋
キリスト教起源のものであり，近代西洋の帝国が世界進出を果たした際に，それ
を世界基準としたという歴史的な事実のみである。

　在地のものをあるがままに任せるわけでもなく，かといって近代帝国のように
自らの基準を押し付けるわけでもない。では，モンゴル帝国がその広大な領域で
実現したものは何だったのか。それを〈換算（conversion）〉と表現したい。モン

ゴル帝国はユーラシアの東西において在来のもの同士をつなぐべく，人・物・情報を〈換算〉した。まずは先の段で見た暦についてである。モンゴル統治下のイランにおいてハンの勅命で編纂された天文書には，(1) 中国暦，(2) セレウコス暦（キリスト教暦），(3) ヒジュラ暦（イスラーム教暦），(4) ヤズデギルド暦（イラン旧暦），(5) ジャラーリー暦（イラン新暦），(6) ユダヤ教暦の6つの暦が解説されている。ここで注目したいのが〈換算〉である。中国暦の章の最後にはヒジュラ暦との換算表が置かれており，中国暦の何年何月何日がヒジュラ暦の何年何月何日に当たるかが分かるようになっている。その後の章においてもセレウコス暦・ヒジュラ暦・ヤズデギルド暦相互の〈換算〉の方法が示される。中国暦は「帝王たちが用いている暦」とは記述されるものの，それぞれの暦に優劣はなく，いずれかの暦に「統合」して日付表記を行おうとするようなこともない。このような〈換算〉にこそ，モンゴル帝国によるユーラシアのつなぎ方が見える。

〈換算〉されたのは暦だけではなかった。命令文に反映するハンたちの声もまた，複数言語に〈換算〉されていく。14世紀の前半，大元ウルス治下で漢人官僚たちが自身の職務にかかわる規定集をまとめて編集・出版した通称『元典章』は，モンゴルの中国支配を反映した独特の文体を有する。その文体のなかには，蒙文直訳体と呼ばれる，「話し言葉」で書かれる個所もある。直訳体は，ハンをはじめとするモンゴル支配者層たちが口頭で話すモンゴル語を漢文の「白話文」と呼ばれる口語体で記したものである。これは通常の漢語文法では到底理解できない部分を多く含む，まさにハンたちの声を反映させたものであった。ハンたちの声を漢文に〈換算〉した，このようなある種奇妙な文体をモンゴルの中国支配は生み出していた。漢文と同じくこの時期のペルシア語もまた，モンゴル支配者層の声を反映し，彼らの「話し言葉」を大量に取り入れてその文体を大きく変容させていく。

そして〈換算〉といえば貨幣を逸することはできない。当時の国際通貨であった銀はモンゴル帝国のみならず，その帝国の域外にあったユーラシア各地をもつ

ヨーロッパ		ジョチ・ウルス		大元ウルス
50フィリオン金貨 1スンモ＝5フィリオン		10スンモ 1スンモ＝10両	⇔ 銀塊	2錠（＝100両）
1000ジュリアート銀貨 （デナリウス銀貨）	⇔ 銀貨	2000アスプロ銀貨 1ジュリアート＝2アスプロ		紙幣
穀物／亜麻布		銅貨／衣類		銅銭／穀物

表1 ユーラシアにおける貨幣の〈換算〉（Akinobu Kuroda, "The Eurasian Silver Century, 1276-1359: Commensurability and Multiplicity," *Journal of Global History* 4/2 (2009), 251を基に作成）

ないでいく。そしてその接続を可能にしたのが〈換算〉比率の固定であった。金貨・銀塊といった上位貨幣から下位の物々交換まで重層的であった地域経済は，銀の〈換算〉によってより広い世界とつながったのである（表1）。そして為政者の側もこうした〈換算〉に基づいた貨幣政策を推進していく。モンゴルはそれこそ近代帝国のように自領域のなかでポンドやドルといった単一の貨幣を導入し，領域内貨幣を統合しようなどという動きは微塵も見せなかった。しかし，地域の貨幣をあるがままに任せていただけかといえばそれも違う。少なくとも地域内の差異をなくし，地域間においては〈換算〉の比率を固定した。こうした〈換算〉の実践こそが，モンゴル帝国のユーラシア統治の特徴なのである。

　さらに，この種の〈換算〉は政治や経済の領域に留まるものではなかった。歴史もまた〈換算〉される。フレグ・ウルス（イル・ハン国）の宮廷で編纂されたペルシア語史書はイラン神話の登場人物を旧約聖書の登場人物に同一視したり，ユーラシアの遊牧伝承に出てくる王たちを旧約聖書の文脈で解釈する。それは，旧約聖書，イラン神話，ユーラシア遊牧伝承という三つの歴史相互の〈換算〉を試みたものともいえる。特にモンゴルのハンたちのイスラーム教への〈改宗（conversion）〉の後において，モンゴルのイラン支配をいかに正当化するのかという課題に直面するなかで，宮廷史家たちは支配者であるモンゴルの歴史を，旧約聖書の世界観やイランの神話につなぎ，彼らを正統な王として表現する。そのなかで，〈換算〉という手段は欠かすことのできないものであった。

■　■　■

　モンゴル帝国はユーラシアの人・物・情報の〈換算〉を実現した。その例は，銀塊や銀貨，紙幣といった貨幣，重さや長さといった度量衡や，旧約聖書・イラン神話・ユーラシア遊牧伝承をあわせた歴史，さらには暦や宗教，言語にまでわたる総体的なものであった。近代帝国は，時間や空間，民族といったものを「統合」したが，モンゴル帝国は〈換算〉することでユーラシアをつないだのである。

■参考文献
赤木崇敏・伊藤一馬・高橋文治・谷口高志・藤原祐子・山本明志『「元典章」が語ること―元代法令集の諸相』大阪大学出版会, 2017
アブー＝ルゴド, J. L.（佐藤次高・斯波義信・高山博・三浦徹訳）『ヨーロッパ覇権以前―もうひとつの世界システム』上下巻, 岩波書店, 2022（初版：2001）
諫早庸一『ユーラシア史のなかのモンゴル帝国』みすず書房, 2023年刊行予定
大塚修『普遍史の変貌―ペルシア語文化圏における形成と展開』名古屋大学出版会, 2017
黒田明伸『貨幣システムの世界史』岩波書店, 2020（2014の増補新版の文庫化）
サイード, E.（大橋洋一訳）『文化と帝国主義』全2巻, みすず書房, 1998〜2001

鷹島海底遺跡

海底に埋もれた蒙古襲来

池田 榮史

▌鷹島海底遺跡

　九州北部に位置する佐賀・長崎県の県境には東西約13km，南北約7kmの広さをもつ伊万里湾がある。伊万里湾沿岸は入江が複雑に入り組んだ景観を呈しており，中世にはこれらの入江を拠点として松浦党が活動した。また，江戸時代にはヨーロッパ人の高い評価を受けた磁器である伊万里焼の積出港が湾奥の伊万里に設けられていた。

　この伊万里湾の湾口を塞ぐ位置に長崎県松浦市鷹島がある（図1）。鷹島には13世紀後半に起こった蒙古襲来に関わるさまざまな伝承やこれに関連する場所が残っている。また，鷹島の南海岸域で操業する漁業者の網にはときおり「元寇壺」と呼ばれる中国産陶磁器が入ることがあり，鷹島南海岸の神崎港では潮干狩りに訪れた地元民によって，元軍兵の階級を示す『管軍総把印』が採集されている。このほか，『蒙古襲来絵詞』をはじめとする国内外の史・資料には鷹島について触れた記事があり，これらによって2度目の蒙古襲来である弘安の役（1281）の際，暴風雨によって元軍船団が遭難した場所は鷹島の南海岸沖合海域であったとされてきた。

▌蒙古襲来

　14世紀に中国大陸の北半を支配下に収めたモンゴル（蒙古）は1259年に朝鮮半島にあった高麗を服属させた後，日本へ通交を求める国書を届けた。これに対し，モンゴルと敵対していた南宋との関係が深かった日本は返書を行なわなかった。1270年国号を大元に改めたモンゴルは1274年に高麗に駐屯していたモンゴル人と旧金人，高麗人からなる兵員と高麗人船

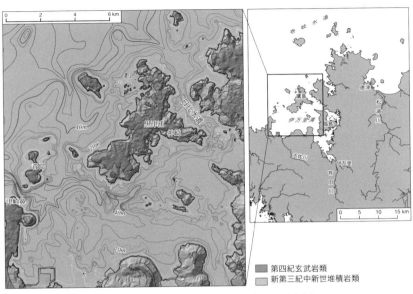

図1　鷹島位置図（楮原京子氏作成，『科研費調査研究報告書』2016より）

舶乗組員約3万人を軍船900艘に乗せ，日本への侵攻を図った。これを日本では文永の役と呼ぶ。対馬，壱岐をへて博多湾に攻め込んだ元軍は博多を焼き払い，忽然と撤退した。『元史』日本伝によれば，「官軍不整，又矢尽」（官軍整わず，また矢尽きる）とあり，このことが撤退の理由であるとされる。

　1279年に南宋を滅ぼした元は1281年に再び日本への侵攻を図った。弘安の役である。中国や韓国に残る文献資料によれば，弘安の役には文永の役と同様の編制で朝鮮半島の高麗から発進した東路軍と，元に滅ぼされた南宋の支配地域であった中国江南地方から進発したモンゴル人，旧南宋人などと船舶乗組員の約10万人が乗り組んだ軍船3500艘からなる江南軍，合計軍船4400艘，人員約14万人が動員されていたという。両軍はともに旧暦5月に出発し，壱岐島で合流した後，博多から大宰府へ攻め入る予定であった。

　しかし，当初の予定通りに出発し，対馬島を経由して壱岐島に到着した東路軍に対して，江南軍は病気による司令官の交代などもあり，出発が旧暦6月まで遅れた。この間，先着した東路軍は博多湾への単独侵攻を試み

171

たものの，待ち受けた鎌倉幕府麾下の御家人たちの奮戦や博多湾一帯に構築されていた石築地（元寇防塁）に阻まれて博多へ上陸することはできず，志賀島周辺で戦った後，いったん壱岐島へ撤退して江南軍の到着を待った。一方，後発した江南軍は日本について収集した情報に基づいて東路軍との合流地を平戸島周辺に変更して，東路軍との合流に臨んだ。

　旧暦7月下旬江南軍は平戸島周辺で集合した後，博多へ向かう途中の伊万里湾内に移動した旧暦閏7月1日未明に北部九州を襲った暴風雨に遭遇し，多くの軍船が破損沈没して，ほぼ壊滅状態となった。遭難を免れた元軍の司令官たちは航行可能な軍船に乗り込み，伊万里湾からの脱出を図った。これに対し，着の身着のまま伊万里湾周辺の陸上に逃れた状態で置き去りにされた多くの元軍兵は鎌倉幕府御家人たちによる掃討戦に曝された。この際，捕らえられた元軍兵の中のモンゴル人と高麗人，旧金人らは斬首，旧南宋人は助命された後，御家人たちによって下人（奴隷）にされたという。

鷹島海底遺跡における水中考古学的調査

　蒙古襲来の終焉地となった伊万里湾の鷹島南海岸周辺海域では1980（昭和45）年から蒙古襲来の実態解明を目指した水中考古学的調査が始められた。ちょうどこの頃の日本ではアクアラングと名付けられた潜水機材の使用が一般化するとともに，レジャーダイビングも盛んになり始めていた。また，海底地形や地質の調査を行なう音波探査装置の開発も進んでおり，両者を水中考古学研究へ導入する試みが進められたのである。この水中考古学的調査の開始をきっかけとして蒙古襲来と鷹島海底遺跡についての関心が高まり，鷹島の南海岸線約7.5km，沖合200m内の海域は1981（昭和46）年7月20日付で，文化財保護法に基づく埋蔵文化財包蔵地「鷹島海底遺跡」として周知化が図られた。

　埋蔵文化財包蔵地として周知化されると，その範囲に含まれる海域内で計画される港湾や護岸工事などの際には文化財保護法に基づいた対応が必要となる。また，周知化された海域を管轄する地方行政体（市町村）には遺跡の内容について把握し，その保護，活用を図ることが求められる。このため，遺跡を管轄する鷹島町（2006〔平成18〕年1月1日の市町村合併後は

松浦市）では周知化された海域について，潜水視認調査や試掘調査，海底地形及び地質確認調査を行ない，鷹島海底遺跡の範囲や出土する遺物の把握を進めた。また，1994・1995（平成6・7）年度と2000～2003（平成12～15）年度には鷹島神崎港改修工事に伴う緊急発掘調査が実施され，大型木製椗や元軍船材，甲冑や刀剣，矢筒の中に入れられて束になったまま固まった弓矢の鏃部分を含む鉄製品，金具や銅銭，匙などの青銅製品，仏像などの木製品，椀などの漆製品，陶磁器，石弾，球形土製品など，大量の蒙古襲来関係遺物が出土した。

　このほか，蒙古襲来の実態解明を目指した大学などの研究機関による調査研究も継続的に進められ，埋蔵文化財包蔵地として周知化された海域だけでなく，伊万里湾全域を対象とした学術調査が行なわれた。この調査の一環として琉球大学が実施した2011（平成23）年10月と2014（平成26）年9月の調査によって，鷹島1・2号沈没船が発見されたのである。

　なお，鷹島1号沈没船の発見を受けて，文化庁では2012（平成24）年3月24日付けで鷹島1号沈没船の現地保存場所を含む約38万4000㎡の海域を「鷹島神崎遺跡」として国史跡に指定した。これは水中遺跡としては日本で最初の国史跡指定である。これを受け，史跡を管理する長崎県松浦市では2014（平成26）年3月に『国指定史跡鷹島神崎遺跡保存管理計画書』を策定し，蒙古襲来の実態を解明する重要な遺跡としての取り扱い方針を定め，以後これに基づいたさまざまな取り組みを進めている。

　また，文化庁では2013（平成25）年3月に「我が国における水中遺跡保護の在り方についての指針を示すことを目的」として，「水中遺跡調査検討委員会」を設けた。同委員会では2021（平成29）年10月に『水中遺跡保護の在り方について』（報告）をまとめるとともに，2022（令和4）年3月には『水中遺跡ハンドブック』を作成して全国の地方行政体文化財担当部署に配布した。鷹島海底遺跡での調査研究成果は日本における水中遺跡に対する関心の高まりを誘発し，全国的な取り組みへと展開したのである。

調査成果からわかること

　鷹島海底遺跡のさまざまな出土遺物や鷹島1・2号沈没船の存在は，私た

ちに蒙古襲来に関する多くの情報と課題を提供してくれる。中でも鷹島1・2号沈没船では船底中央に大型角材（竜骨）を据え，その上に船内を仕切る壁板（隔壁）を「Ｖ」字型に立て並べ，これに船底板（外板）を打ち付けた元軍船の船体構造が確認された。これは中国宋・元代の江南地域で作られた船舶に見られる船体構造である。なお，近年の韓国における水中考古学調査によって，高麗時代船舶の底部は大型木材を横に並べて平底に造る特徴を持つことが明らかにされている。このことからすれば，鷹島1・2号船は高麗から発進した東路軍ではなく，江南軍が用いた船舶であると判断される。

　また，遺物の中で最も多く出土した陶器壺の大半も中国産である。内容物が残った状態の出土例はないが，醬油・塩・油などの調味料や酒などの飲み物，さらには火薬原料など，さまざまな物品を入れる容器として用いられたと考えられる。甲冑や刀剣，舟釘などの鉄製品は錆びてしまって鉄部分がほとんど残っておらず，周りの鉄錆が海底の泥土と一緒になって固まった状態で出土する。これらの中にはＸ線写真を撮影すると本来の形状を確認できるものがあり，中にはモンゴルの人々が食事の際に用いた携帯用のナイフなども見つかっている。また，一見すると判別できないが，弓や弩弓（どきゅう）で射つ矢の先端の鉄鏃数十本がまとまった状態で確認できる資料が複数見つかっている。これは胡籙（やなぐい）に入れていた矢の矢柄部分が無くなって，先端の鉄鏃部分のみが錆びて固まって残ったものであり，中には胡籙に用いられた獣皮やこれに取り付けられた青銅製金具が付着した資料もある。

　なお，青銅製品の中の銅銭には実際には使えないお守り用の製品（厭勝銭（えんしょうせん））もあり，これも江南軍の持ち物と推測される。

　出土遺物の中で最も注目されたのは球形土製品である。発掘調査以前の鷹島南海岸では底部が割れていたものの中身が詰まった状態の球形土製品が採集されていたが，発掘調査ではさらに20個余りが出土している。いずれも直径13〜14cmほどで径約4cmの穴（口縁部）があり，全体に焼きが甘い製品が多い。中身が詰まった状態で見つかっていた採集資料を九州国立博物館でＸ線CTスキャナーを用いて撮影したところ，内部に短冊状に切った鉄片と陶器片状のものが確認された。『蒙古襲来絵詞』には竹崎季長（すえなが）が

元軍兵士に馬で立ち向かう場面があり，元軍兵士と竹崎季長が乗った馬との間で「てつはう」と墨書きされた黒い円球が破裂している図がある。これを参考にして「てつはう」は火薬を用いた爆裂弾であろうと考えられていたが，球形土製品の出土によってまさにその実物が判明したのである。

　発掘調査によって出土するさまざまな遺物や船舶は蒙古襲来の際に元軍が使った武器武具などの装備や日常生活用品，航海に用いられた船舶の構造など，元軍のありのままの姿を私たちに知らせてくれる。鷹島海底遺跡は蒙古襲来の実態がそのまま残されている「海のタイムカプセル」とも言うべき遺跡なのである。鷹島海底遺跡の調査研究は今後も継続的に続けられる予定であり，その進展に期待したい。

■参考文献
池田榮史編『平成23〜27年度科学研究費補助金基盤研究(S)(課題番号23222002)「水中考古学手法による元寇沈船の調査と研究」研究成果報告書』第3冊(最終報告書)，2016
池田榮史「海底に眠る蒙古襲来─水中考古学の挑戦─」『歴史文化ライブラリー』478　吉川弘文館，2018
佐伯弘次「モンゴル襲来の衝撃」『日本の中世』9　中央公論新社，2003
中田敦之・池田榮史「元軍船の発見─鷹島海底遺跡─」『シリーズ「遺跡を学ぶ」』150 新泉社，2021
服部英雄『蒙古襲来』山川出版社，2014

モンゴル帝国と日本

「元使塚」から見えてくる世界史

福本 淳

▍常立寺

　2015年4月3日，横綱・白鵬などモンゴル出身の力士13人が神奈川県藤沢市南部にある日蓮宗の寺院・常立寺に参拝した。この寺には1275年に日本にやってきて，鎌倉幕府に処刑されたフビライの使者5人を慰霊する供養塔・元使塚があるのだ。5人とは正確には，正使：モンゴル人・杜世忠・享年34歳，副使：唐人・何文著・38歳，そしてイスラーム教徒・撒都魯丁・32歳とウイグル人・果・32歳，さらに通訳をつとめた高麗人・徐賛・32歳だ。なぜ正式な外交使節だった5人は斬られたのか。また，モ

図1　常立寺の元使塚（著者撮影）

ンゴル人や漢人，当時日本とフビライの仲介者的な役割を任されていた高麗人がいるのは分かるが，なぜムスリムやウイグル人がいるのか。この二つの疑問を掘り下げてみよう。なお，使者5人の名前については史料によって差があり，何文著は何文着とも表記され，撤都魯丁は一部史料では都魯丁，高麗人の通訳も一部史料では徐とだけ記載され，果は記載が無い記録もある。

フビライの外交

　モンゴルの使者が最初に日本に来たのは1268年であった。皇帝フビライ（1215〜1294）の国書を携えており，その中でフビライは，日本と連絡を通じ親睦を図りたいことを述べ，「兵を用いることなど誰が好むであろうか」と文を結んだ。なお，フビライが「元」という国号を使い始めるのは1271年だ。丁重な文であり，フビライに日本征服の意図は無かった可能性もある。国書は幕府に送られ，幕府は朝廷にも意見をきいたが，朝廷でも意見が割れたので，使者たちは返書を委ねられることなく帰国した。その後も使者は何度も来たが日本は返書を出さなかった。そして1274年，文永の役がおきる。

　常立寺に葬られている5人の使者が来たのは，この翌年の1275年4月である。彼らは長門国に着いた。フビライはまだ外交的な解決の余地ありとみたのだろう。しかし幕府はこの使者たちを，鎌倉に護送したあと，9月に龍ノ口で斬首してしまった。外交官の身分保障がない時代だが，正式な使者に対し罪人なみの斬首は異常だ。幕府は，苦戦続きだった文永の役の翌年という状況において，警戒心から，このような行動に出てしまったのだろう。国内からの批判としては唯一，日蓮（1222〜1282）が「科なき蒙古の使の頸を刎られ候ける事こそ不便」と幕府を批判した。これは大正時代になって，常立寺が元使を悼む碑を建立したことの伏線ともなっている。このあと1279年にも元は使節を派遣したが，このときは鎌倉に送られることさえなく博多で斬られた。事態は弘安の役へと動いていく。

フビライの構想

　フビライの日本への態度が，征服ありきではなかったのではないか？と書いたが，少し詳しく掘り下げよう。モンゴル人の帝国は，卓越した軍事力と，また征服した空前の大領土によって，暴力的な集団という印象があるが，経済国家という面もある。たしかに執拗に抵抗した勢力を残酷にあつかうこともあったが，そもそも彼らの征服活動は破壊が目的ではない。チンギス・ハンの征服も，イスラーム商人たちのアジア内陸貿易ルートを取り込む形で進められたし，支配下に置かれた勢力に対しては，商業・貿易の自由化も要求され，こうした政策に協力的な人材は，公平に評価されて帝国の上層部への出世も可能であった。特にモンゴルの覇権に早くから屈服し，参加していた中央アジア・西アジアのイスラーム教徒たちは財務官僚などに重く用いられる場合もあった，いわゆる色目人だ。

　また，フビライは今の北京の地に首都として「大都」を建設し，1264年に遷都するのだが，それはこの地に，西へ延びる草原の通商路と，豊かな中国本土の農耕世界を結びつける結節点の役目を期待したためだ。1260〜70年代のフビライは，南宋を征服して豊かな長江流域の江南地方を抱き込み，また東アジア・東南アジアの島嶼国家にも参加を要請し，イスラーム商人の協力も得ながら海洋交易を活発化させ，東アジア経済全体を包摂するという目標にとりくんでいた。後にフビライは大都と江南を結びつける大運河の開削・修復もおこなっている。こうした計画の表れの一つが南宋征服であり，日本遠征であり，ベトナム遠征であり，ジャワ島遠征だ。その意味では，南宋征服は必須の目標であったろうが，日本やジャワ島の征服が譲れない目標だったかどうかは微妙だ。日本については，①南宋と同盟しないように威嚇する，②通商関係を樹立する，という2点が重要だったのではないか。じつは1277年に日本の商船が杭州に入港しており，フビライはこれを歓迎しているのだ。

元の中国統治

　フビライの使者に，ムスリムやウイグル人がいたことは，上述のような

元帝国の社会を考えると理解しやすい。日本遠征は経済的な目的もあった
と推測され，また色目人は主として財務官僚として活躍したが，中には外
交などの仕事で腕を振るう者もいた。イタリア人のマルコ・ポーロもこれ
に該当する。だから，日本問題は二重の意味で色目人の守備範囲だった。
なお，色目人の活躍を見れば分かるように，元代の中国社会は，一般に言
われているほどモンゴル人が絶対的存在として君臨していたのではなく，
政策の最終決定権こそモンゴル人が手放さなかったものの，多様性があり
実力主義的でもあった。近年の研究では，モンゴル人と長く対立した漢族
でさえも出世して政府の中に食い込んだ人もいれば，生粋のモンゴル人で
も下層民だった人もおり，民族ごとの階級制度は無かったことが分かりつ
つある。こうした点は近年の日本の世界史教育にも反映されている。以前
は元の社会と言えば「モンゴル人第一主義」などということが強調されて
教えられていたが，そういった記述は変わってきている。実際の教科書を
見てみよう。

　まず1990年代のもの。

　　また，モンゴル人第一主義をとり，モンゴル人，色目人（西域人），漢
　　人（旧金国の住民），南人（旧南宋の住民）を類別する特別な身分制度を
　　設けた。そこではモンゴル人が最上位に位置し，ついで色目人がその
　　補佐者となり，彼らが支配者として政権を独占した。漢人と南人は，
　　被支配者の身分とされ，とりわけ最下位に置かれた南人は，元朝の科
　　挙廃止策によって官界からしめだされた。（三省堂『詳解世界史B』1994
　　年文部科学省検定済み）

　次に2010年代のもの。

　　元は中国の統治に際して，中国の伝統的な官僚制度を採用したが，科
　　挙のおこなわれた回数は少なく，実質的な政策決定は，中央政府の首
　　脳部を独占するモンゴル人によっておこなわれた。また色目人と総称
　　される中央アジア・西アジア出身の諸民族が，財務官僚として重用さ
　　れた。金の支配下にあった人は漢人，南宋の支配下の人々は南人と呼
　　ばれた。武人や実務官僚が重視され，儒学の古典につうじた士大夫が
　　官界で活躍する機会は限られていた。（山川出版社『新世界史B』2013年

文部科学省検定済み）

　新しい教科書は，まず「モンゴル人第一主義」というキーワードが使われなくなり，また旧南宋国民の上層（漢人地主で，儒学的教養が深く，科挙の合格者を独占していた，いわゆる士大夫階級）の，出世がほとんど絶望的であったかのような「しめだされた」という表現から，多少は可能であったという「限られていた」になっている。さらに科挙も全廃とは言えなかったと言及がある。三省堂の教科書の名誉のために言っておくと，1990年代まではどの教科書会社も概ね「モンゴル人第一主義」を使っていた。研究の進歩が，高校の教科書記述や授業の改善をもたらした好例だ。

そして，現代からみれば

　元使5人の悲劇から七百数十年が過ぎた。もし今，彼ら使者たちがよみがえって世界や日本の情勢，つまり日本とモンゴルの友好関係，ウイグル人の人権問題（ただし現在のウイグル人が古代〜中世に活躍したウイグル人の直接的な子孫というわけではない），冷えた日韓関係，そしてまた，多様性や世界平和が人類の共通の課題になっている情勢などを見たら，何を思い，どのような言葉を語るのだろうか。5人の使者の方々の冥福を祈りつつ筆を置きたい。

■参考文献 ─────────────────────────────
植松正「『経世大典』にみる元朝の対日本外交論」『京都女子大学大学院文学研究科研究紀要　史学編』16号, 2017
杉山正明ほか『世界の歴史9　大モンゴルの時代』中央公論社, 1997
『タウンニュース藤沢』(電子版)2015年4月10日号
竹内理三編『増補続史料大成　51巻(鎌倉年代記・武家年代記・鎌倉大日記)』臨川書店, 1979
山口修「文永・弘安の役　蒙古襲来に苦悩する鎌倉政権」『日本と世界の歴史10　13世紀』学研, 1969
【注記】本稿の執筆にあたり, 常立寺のみなさま, 杉山清彦先生, 森安孝夫先生よりご協力, ご助言いただきました。記して御礼申し上げます。

「透頂香」を生んだ
ヒト・モノの連関

向 正樹

▌薬の「ういろう」──透頂香

　「ういろう」と言えば米粉・小麦粉・砂糖を用いた蒸し菓子を指すのが一般的だろう。しかし，「ういろう」は口内清涼剤として用いられた透頂香の別称でもある。どちらも室町時代の京都で医業を営み代々「外郎」と名乗った渡来系の陳外郎家の考案で，15世紀初頭に成立したとみられる。透頂香は，戦国時代に小田原に移った陳外郎の一族に継承され，いまも小田原の株式会社ういろう（小田原外郎家）が同名の錠剤を販売している。

　透頂香の主成分は阿仙薬というカテキン成分を濃縮し乾燥させたものである。阿仙薬は15世紀初頭にはインド，タイ，ベトナム，中国（明）などから朝鮮経由で日本に輸入されていた。透頂香の薬効は，二代目市川團十郎（1688〜1758）自作自演の「外郎売」の台詞に，胃・心臓・肺・肝臓の働きを整え，口内を清涼にし，食中毒を抑えるほか，「万病即効あること神の如し」と謳われている。

　陳外郎家のルーツは中国の台州にある。江南（長江以南）で明が成立した1368年に台州出身の陳順祖（またの名を陳延祐，陳宗敬，1322〜1395）が博多に来航した。彼はモンゴル帝国（元）の礼部員外郎の肩書を帯びていた。一世外郎である。彼の子，二世外郎の大年宗奇（1372〜1426）は足利義満の招きで博多から京都に移る。

　一世・二世は医業のほか朝鮮・中国（明）との外交も担っていた。二世の陳大年が外交使節をもてなすために作った蒸し菓子が，薬の「ういろう」（透頂香）に形状が似ていたため，「ういろう」と呼ばれるようになったという。だとすれば透頂香も15世紀初頭には存在していたはずである。しかし，次

図1　小田原市ういろう本店（2017年8月著者撮影）

に見るような一世外郎の陳順祖のバックグラウンドを考えると，透頂香の淵源はさらにモンゴル帝国の時代にまで遡りうるのではないか。

一世外郎（陳順祖）のバックグラウンド

　陳順祖は，元末の群雄のうち江西・湖南に割拠した陳友諒の宗族である，と室町後期の禅僧月舟寿桂（げっしゅうじゅけい）（1470〜1533）の『幻雲文集』は伝えている。谷口規矩雄氏によれば，陳友諒は自身の兄弟や姻戚関係の人物を多く起用した。ただし，そこに陳外郎は含まれなかっただろう。台州は陳友諒の勢力圏外であり，別の群雄の方国珍（ほうこくちん）が拠点としていた。榎本渉氏によれば，方国珍は元に帰順し日本との通交も行っていた。台州から元の官名を帯びる陳順祖が日本へ渡航したのはこうした経緯による。ところで，陳友諒の子の陳理は明に降伏した後，朝鮮に身柄を移された。渡日後に朝鮮との外交を担った陳外郎家との接点は不明である。確かなことは，陳外郎家が当時，国と地域を越えた広がりを持つ一族であったということである。ベトナムの正史『大越史記全書』巻7によれば，1354年2月，陳友諒はベトナムの陳朝に遣使し和親を乞うた。その記事には，「陳友諒，陳益稷（えきしょく）の子なり」と注記する。陳益稷は陳朝の聖宗（在位1258〜1278）の弟で，元の世祖フビライが派遣した遠征軍に投降し，安南国王に封ぜられ中国の湖南に移り住んだ。湖南は陳友諒の本拠地である。和田博徳氏は「陳友諒が朱元璋らと

覇を争うため，ベトナム陳朝との友好関係を結ぶ必要を感じ，同姓である
ことを利用して，陳朝皇族の陳益稷の子と詐称して遣使した」と見る。陳
順祖とベトナムの陳朝との直接の関係を示す史料はないものの，当時の認
識では陳外郎が属する陳一族の広がりはベトナムにまで及んでいたのであ
る。外交家としてこの上ないバックグラウンドであると言えよう。

　陳順祖の外郎という肩書は礼部員外郎に由来する。尚書省の下の六部の
一つである礼部は，礼楽・祭祀などを司る役所であるが，1295（元貞元）
年以降，礼部が外交使節を受け入れる会同館の仕事をすることになった。
また，尚書省に属する六部の長官たる尚書をはじめその下の侍郎・郎中・
員外郎が外国へ出使する例は多かった。礼部員外郎という職名はむしろ陳
外郎の外交面での活動に根拠を与えるものと言える。

　先述の『幻雲文集』によると，陳順祖には太医院（原文は大医院）として
の経歴もある。大ハンの料理番バウルチから発展し，宣徽院に管轄された
元の太医院は，宮廷の医療や薬物を扱い，全国の医官を統括した。太医院
のトップである提点が礼部のトップである礼部尚書を兼ねることとなって
いた。陳順祖が一人で礼部員外郎と太医院（の属官）という二つの職を有す
ることは元の制度を考えると不可能ではない。そして，それらの経歴がの
ちの外郎家の外交と医学の両面における活躍にも実際につながったと考え
られる。

阿仙薬と東南アジア

　前述のように15世紀初頭には阿仙薬を主剤とする透頂香は成立してい
た。株式会社ういろうの透頂香も阿仙が主成分であるが，英語ではそれを
catechu と表記している。阿仙薬自体を元の時代の文献に見いだすことは
できないが，皇帝の飲食を司る飲膳太医が記した『飲膳正要』にみえる渇
忒（カテ）が阿仙薬を指すとされる。

　渇忒が何であるのかは厳密には分からないが，二つの説がある。つまり，
インド原産のマメ科のアセンヤクノキ（senegalia catechu）の芯から採れる
カテキュー（catechu），あるいは，南インド・スリランカから東南アジアに
自生するガンビールノキ（uncaria gambir）の枝葉から採れるガンビールで

184

ある。カテキューはカテキンの語源でもあるが，渇忒（kʰat-tʰək）もまたそれに類する語から音写されたと考えられる。要するにカテキンを豊富に含む部位を煎じた汁を濃縮して乾燥エキスにしたものを渇忒といったのであろう。ほかに，中国では五倍子（ふし）とお茶のカテキン成分を濃縮・発酵させ乾燥させた百薬煎が，阿仙薬に代用された。『飲膳正要』にある「孩児茶」がそれに近い。『飲膳正要』には，次にあげるように，この渇忒の粉末を葡萄酒で練ってペースト状にし，朝鮮人参・菖蒲の粉末に砂糖を調合し作る「渇忒餅児」という食品が見える。

　渇忒餅児

　津を生じ渇を止め嗽を治す。

　渇忒一両二銭（約45g）。新羅参一両（約37g），蘆を取り去る。菖蒲一銭（約3.7g）。それぞれ粉末にする。白納八三両（約112g），すり砕く，

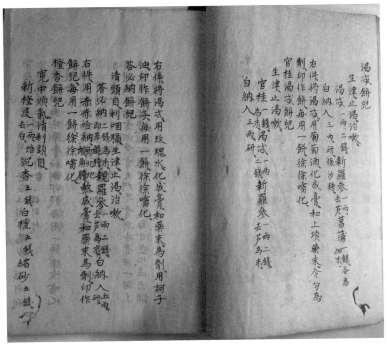

図2　和装本『飲膳正要』(同志社大学図書館蔵)

（白納八は）砂糖である。

　　右のうち渇忒に葡萄酒を加えて膏（ペースト）にし，上記の粉末にした材料と調合
　　し印を押して餅にする。毎度一つの餅を口にして少しずつ溶かす。

　「津を生じ……」はまさにカテキンがもつ収斂性（ワインのように口内の細
胞を引き締める作用）を彷彿とさせる効用である。ほかに葡萄酒のかわりに
バラ水を用い官桂（シナモン）を加えた「官桂渇忒餅児」もある。「渇忒餅児」
の場合，材料の総重量は 197.7g である。いま京都の五建外良屋が販売する
菓子の「ういろ」（ういろう）のミニサイズのものは 16㎝ ×5.5㎝ ×2.5㎝（220
㎤）で 1 本 230g なので，197.7g に葡萄酒が加わると大差ない重さになる
だろう。参考までに筆者が行った実験では，156g の緑茶・高麗人参の粉末・
砂糖にワイン 60g を加え，しばらく捏ねると，約 173㎤（9㎝ ×3.5㎝ ×5.5㎝）
のペースト状の固形物ができた。蒸し菓子「ういろう」がそれに似ていた
という最初の透頂香も，「渇忒餅児」と同様，餅のような形態のものだった
かもしれない。

　渇忒の候補の一つであるガンビールは，インド・東南アジア・オセアニ
ア等に古くからみられるキンマの葉で檳榔子（ベテルナッツ 学名 areca
catechu）を包んで噛む嗜好品とかかわりがある。いわゆるベテル・チューイ
ングである。14 世紀半ばにその地を旅したイブン・バットゥータの伝え
るところでは，キンマの葉の上に少々の石灰（ヌーラ）を置き，檳榔子（フ
ァウファル）と一緒に葉を噛む。このとき，杉山茂氏によれば，ガンビール
のエキスを石灰と混ぜ檳榔子の切片に塗ったり，土地によってはキンマの
葉にガンビールを包んで咀嚼するという。

　南方におけるベテル・チューイングの風習は中国でも早くから知られ，
『太平御覧』（977 〜 983 年頃成立）や『諸蕃志』（1225 年頃成立）に記され
ている。前者は雲南地方にもその風習が見られること，石灰を用いること
を記す。

　17 世紀末頃にはマレー半島一帯でガンビールの錠剤が売られていた。錠
剤にする方法はマレー人がインドのタミル人に伝えたと考えられている。
蒸し菓子のような餅から銀色の小粒の丸薬へと形を変えた透頂香を彷彿と
させる。

■参考文献
イブン・バットゥータ原著, イブン・ジュザイイ編（家島彦一訳注）『大旅行記』3, 平凡社, 1998
小葉田淳「補論　陳外郎について」同著『中世日支通交貿易史の研究』刀江書院, 1941
杉山茂『薬の社会史―日本最古の売薬外郎・透頂香―』現代文芸社, 1999
和田博徳「元末の群雄とベトナム―陳友諒・朱元璋に関する大越史記全書の記事―」『史学』49巻1号, 1978
Allsen, Thomas T. "*Culture and Conquest in Mongol Eurasia*" Cambridge University Press. 2001

マルコ・ポーロとラシード・アッディーン

『世界の記述』と『集史』の記す中国

諫早 庸一

■ マルコ・ポーロと『世界の記述』

　1240 年前後におけるモンゴルの東欧侵攻以後，西欧にとってもモンゴルの危機は現実味を帯びたものとなっていた。一方で彼らと連携することで十字軍運動を成功させようという目論見も確かに存在していた。東方より突如現れたこの「騎射の民」といかに戦えばよいのか，また彼らを味方につける術はあるのか，こうしたことについて少しでも情報を得るべく，1240 年代半ばには時のローマ教皇インノケンティウス 4 世（在位 1243 〜 1254）は，フランシスコ会の修道士であったイォハンネス・デ・プラノ・カルピニ（1182 頃〜 1252）を使節として派遣した。カルピニは教皇の書簡を持って陸路で帝都カラコルムに至り，時の大ハン・グユク（在位 1246 〜 1248）の書簡を持ち帰ることになる。その後，1250 年代前半には，十字軍遠征中のフランス国王ルイ 9 世（在位 1226 〜 1270）が，モンゴルの一諸侯がキリスト教に改宗したという噂を聞き，布教と情報収集を目的として，同じフランチェスコ修道会のギョーム・ド・ルブルク（1215 頃〜 1265 頃）をモンゴル帝国に送り込んだ。ルブルクは大ハン・モンケ（在位 1251 〜 1259）の宮廷に達し，そこで数か月滞在した後に帰還する。この二人は自らの見聞に基づく貴重な情報を西欧にもたらした。しかし両修道士が滞在したのはいずれもモンゴル高原であり，中国には足を踏み入れていない。したがって，当時ユーラシアで最も繁栄を謳歌していた中国に関して，彼らの伝えるところはわずかであった。

　しかし，ヴェネツィア商人の家系に生まれたマルコ・ポーロ（1254 〜 1324）は，1270 年代から 90 年代にかけて足かけ 17 年にわたって中国に

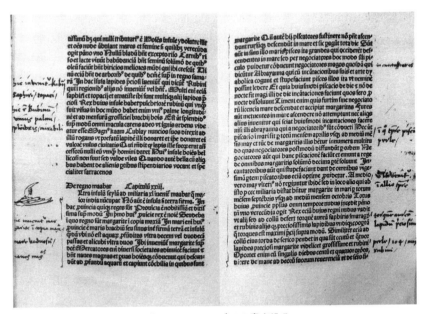

図1　ラテン語版『世界の記述』へのコロンブスの書き込み

滞在し，自らのユーラシア横断の足跡を『世界の記述』（日本では『東方見聞録』として有名である）に残した。したがって，この書のなかの中国についての情報の豊かさは，先の両修道士の報告の比するところではなかった。特にルブルクの報告記に関してはあまり世間の注目するところとはならなかったらしく，現在数種の写本が伝わるのみであるのに対して，『世界の記述』の場合にはその写本は140種にも及ぶと言われ，この書は後のコロンブス（1451～1506）の時代においてすら，西欧で広範に読まれていた（図1）。

『世界の記述』のなかには種々の奇譚を除いても明らかに事実とは思えない箇所があり，それは例えば，マルコ・ポーロが教皇の使節であったり，フビライ（在位1260～1294）の寵臣であったり，南宋（1127～1279）攻めに際して功績があったりと，彼自身を歴史的個人だと誇る部分に見え隠れする。しかし，マルコ・ポーロ自身の果たした役割には疑問符がつく一方で，こうした箇所に関しても起こった事件自体は他の史料で確証できるものが多く，それどころかフビライの身辺に付き従っているものでなけれ

ば知り得ないような情報もなかには含まれている。マルコ・ポーロは少なくともモンゴル使節団や大ハンの側近の話を聞けるだけの場所に自らを置いていた。モンゴル宮廷で共有されていた〈うわさばなし〉とでも表現すべきものがこの『世界の記述』には存分に反映されているのである。そして，このマルコ・ポーロに比肩する「文化の仲買人（cultural brokers）」が，モンゴル宮廷で実際に高位を得ていたラシード・アッディーン（1249/50 ～ 1318）である。

■ ラシード・アッディーンと『集史』

　イラン中部の都市ハマダーンのユダヤ教徒の家系に生まれたラシード・アッディーンは，まずは侍医としてイランのモンゴル政権であるフレグ・ウルス（イル・ハン国）のハンたちの信認を得て，最終的には宰相位にまで昇りつめる。その彼が歴史にその名を残すのは，ペルシア語世界史『集史（*Jāmiʿ al-tawārīkh*）』の編纂によってであった。この史書は当初，中央ユーラシアの遊牧民とモンゴルのハンたちの歴史をその内容とするものであったが，1304 年よりの東西和合，つまりモンゴル帝国 4 ウルスの再連帯を

図2　『集史』写本画（パリ写本）**におけるチンギス・ハンの即位**

反映して編纂計画が拡張され，イスラーム史やイラン史に加えて中国・ユダヤ・ヨーロッパ・インドの歴史を含む文字通りの『集史』（＝歴史の集成）となった。

　ラシード・アッディーンは『集史』の序文において中国やインド，ウイグルやロシア平原その他の賢者・知者たちの協力を得たことを語るが，そのなかで具体的に名前が挙げられる人物がボラト（1313年没）である。彼は大元ウル

ス（元朝）からの使者として1285年に中国からイランに至り，モンゴルおよび中国について多くの情報をもたらした。『集史』のなかに含まれる中国の歴史も，当時の中国の社会・文化について極めて興味深い記述を載せる序文についてはボラトからの情報に拠るところが大きい。

　このボラトは漢文史料では「孛羅（ポロ）」の名で記され，その存在はマルコ・ポーロと同一人物であると誤解されることもあった。しかし彼はフレグ・ウルスの政治にも深く関わり，紙幣の導入を試みるなど，特に大元ウルスに範を取った政策を推し進めたことで──マルコ・ポーロとは異なり──ペルシア語史料にもその名が現れる。1313年にイランの地で死去するまで，彼はラシード・アッディーンのパートナーとして種々の東西文化交流政策にも携わる。ただしモンゴルの部族出身のボラトは「漢文化の体現者」としてではなく，あくまで「モンゴル人」として生きたことも強調しておきたい。

二人が記した中国──漢字と塩

　マルコ・ポーロもラシード・アッディーンもともに，13世紀当時100万人規模の人口を有し，ユーラシアでも図抜けた巨大都市であった杭州については，特にその規模について驚きとともに伝えている。さらに，当時モンゴル支配下にあった雲南地方についても，「金歯の民」についてなど，その逸話は両書に共通するものがある。マルコ・ポーロは，大ハン・フビライが使者として地方に派遣した人間の「土産話」を聴くのを愉しみとしていたこと，それがない場合は使者を無能呼ばわりすらしたことを伝えているが，両書に共通する雲南の奇譚などは，使者の「土産話」として語られ，モンゴル宮廷で広く共有されていた〈うわさばなし〉であったのかもしれない。

　一方で類似点とともに両者の相違点もまた際立ったものとなっている。ラシード・アッディーンは『集史』において，中国の漢字や木版印刷に強い関心を寄せ，それを高く評価している一方，マルコ・ポーロ『世界の記述』は分量から言えば『集史』以上に当時の中国に言及しているにもかかわらず，漢字にはほぼ一切言及していない。『世界の記述』はマルコ・ポーロについ

図3　鳳凰寺（2010年，四日市康博氏撮影）　鳳凰寺は，元代杭州におけるムスリム・コミュニティの拠点の一つであった。

て「大君の宮廷にやって来るずっと前から彼は言語と４種の文字と書き方を知っていた」と述べるが，そのなかに漢字は含まれていなかったのであろう。ただし，西域から大元ウルス宮廷に至り高位を得た者たちのなかでは，漢字を解さないことは決して珍しいことではなかった。皇帝のフビライも，会話はともかく漢字を解したかどうかは疑わしい。大元ウルスにおいて漢字は出世に必要なツールでは必ずしもなかったのである。翻って，中国を訪れることはなかったラシード・アッディーンが，漢字にこれだけ注目する理由とは何だったのであろうか。その関心は彼の史書編纂プロジェクトと密接にかかわっている。ラシード・アッディーンはそれぞれの民族や国々の歴史を，その国や民の間で信じられている史書や言葉に基づいて描いた。そのため，彼は世界の人々の情報の伝え方，より具体的には歴史の語り方に対して強い関心を抱いていたのである。それは，歴史を伝える本の作り

方や言葉を伝える文字への関心につながっていく。ラシード・アッディーンの歴史家の本性とでも表現すべきものが，彼をして中国の木版印刷や漢字への関心へと向かわせたのであった。

　しかし逆に，マルコ・ポーロにあってラシード・アッディーンにないものも存在する。それは例えば杭州の税収についての記述で，マルコ・ポーロが言及する塩であった。大元ウルス中央政府の税収のなかでも，塩税収入の規模は際立っていた。塩は巨万の富を生み出す宝であったのである。この箇所以外にも『世界の記述』には塩田や製塩法についての記述が見られる。一方でラシード・アッディーンの『集史』中国史において，塩に関する記載は一切見られない。世界史である『集史』は，商業指南書としての側面も有する『世界の記述』ほどには，中国の交易品に関心を寄せてはいなかった。

　歴史家であったラシード・アッディーンに比してマルコ・ポーロは商人であった。この違いが，いずれもユーラシア東西をつないだ二つの書物に見られる中国についての知識の違いに現れているのである。

■参考文献

赤坂恒明監訳，金山あゆみ訳注『ラシード＝アッディーン『集史』「モンゴル史」部族篇 訳注』風間書房，2022

海老澤哲雄『世界史リブレット人35　マルコ・ポーロ―『東方見聞録』を読み解く』山川出版社，2015

マルコ・ポーロ（愛宕松男訳注）『東方見聞録』全2巻，平凡社，2000（初版：1970～1971）

マルコ・ポーロ ＆ ルスティケッロ・ダ・ピーサ（高田英樹訳）『世界の記―「東方見聞録」対校訳』名古屋大学出版会，2013

四日市康博「マルコ＝ポーロの書『世界の記述』の虚構と物語性―物語作家ルスティケッロ＝ダ・ピーサはその共著者か？」『横浜ユーラシア文化館紀要』2号，2014

【注記】本項は，諫早庸一『ユーラシア史のなかのモンゴル帝国』（みすず書房，2023年刊行予定）の第12章「マルコ・ポーロとラシード・アッディーン―彼らの見た中国」の縮小・要約版である。資料引用などの典拠については，本書を参照いただきたい。

第**7**章

14世紀〜15世紀の世界

15世紀末

ノルウェー王国
スウェーデン王国
デンマーク王国
イギリス王国
ロンドン
神聖ローマ帝国
パリ
フランス王国
スペイン王国
ポルトガル王国
リスボン
トレド
グラナダ
ローマ
ナポリ王国

1492年
レコンキスタ終了

大西洋

サハラ砂漠

ソンガイ王国
ニジェール川

モスクワ大公国
モスクワ
リトアニア・ポーランド王国
クラクフ
ハンガリー王国
ウィーン
ドナウ川
イスタンブル
黒海
オ ス マ ン帝国

キプチャク・ハン国
サライ
クリム・ハン国
アラル海
シル川
サマルカント
アム川
カスピ海

ティムール帝国
ティグリス川
バグダード
ユーフラテス川
ペルシア湾
ヘラート

ヴェネツィア共和国

1453年
ビザンツ帝国滅亡

マムルーク朝
カイロ
30°
紅海
メッカ

地中海

アラビア半島

カリカット
アラビア海

マリンディ

イン

60°

黒死病の流行

194

足利義満

明の最大領域（15世紀初め）
鄭和の遠征路

モンゴル（北元）

アムール川

北京

朝鮮

漢城

京都

日本

黄河

博多

長江

明

南京

東シナ海

琉球

30°

ヒマラヤ山脈

太平洋

ドリー・
スルタン朝

ガンジス川

アユタヤ朝

大越

南シナ海

150°

ヴィジャヤ
ナガル王国

アユタヤ

チャンパー

メコン川

マラッカ王国

マラッカ

カリマン
タン島

マジャパヒト王国

ジャワ島

マジャパヒト

ド洋

90°

120°

鄭和の遠征

195

世界の一体化への助走

伊藤　幸司

　15世紀，東アジアの国際関係は，倭寇活動が落ち着き，明の朝貢・海禁体制の強い影響を受けながらも，各国が独自の通交関係を展開する安定の時代であった。そこでは，商船の活動以上に，国家が派遣する外交使節にかかる貿易の比重が大きくなった。一方，西洋では，オスマン帝国が地中海世界で台頭したことで，ヨーロッパ勢力が外へと目を向けていく転換期となった。

室町日本の国際関係

　15世紀初頭，足利義満（1358 〜 1408）は明との間に正式な国交を樹立した。明から日本国王に冊封され，金印を下賜された義満のありようは，まさに5世紀の「倭の五王」以来の行為であった。しかし，義満は単純に明に臣従して，その権威を利用したのではない。明との通交権である日明勘合（渡航証明書）を独占し，名分よりも朝貢にともなう貿易の実利を獲得することにこそ主眼があった。そのため，義満は来日した明使による冊封儀礼にもかなり尊大な態度で臨んでおり，日本国王号も国内向けに用いることはなかった。遣明船派遣は，足利義持（1386 〜 1428）の一時的な断絶をへて，15世紀中葉，明によって10年1貢という渡航規制が導入された。遣明船は，室町殿（＝日本国王≒将軍）から勘合を獲得した大内氏や細川氏に外部委託され，博多や堺の商人など多様な勢力が参画した。

　室町殿のみが通交権をもつ一元的な日明関係に対して，朝鮮との関係は多元的であり，日本の多くの諸勢力が通交をした。室町殿をはじめとする日本の諸勢力がおこなう朝鮮通交は，ほとんどが大蔵経の獲得を目的とするものであった。15世紀後半，日本国王を騙る偽使が横行したため，足利義政（1436 〜 1490）は，象牙製の割符（牙符）を朝鮮からもらった。以後，日本国王や幕府周辺の有力者名義の使者は牙符を持参するという牙符制が始まり，ここに日明勘合と日朝牙符という符験を用いる符験外交体制が成立した。

　応永年間（1394 〜 1428）は，禅宗の日本化が強まる転換期であった。現在，日本伝統文化の一翼をになう禅宗文化は，本来，宋代仏教が日本に直輸入されたものであり，日本のなかの中国文化そのものであった。しかし，明の朝貢・海禁

体制の影響で中国の影響が薄まり，さらに足利義持による日明断交によって日本禅宗界に入る中国の息吹が遮断されたことで，中国文化であった禅宗は，徐々に日本風の禅宗文化へと変容していく。

　室町幕府や朝廷などの中央権力は，中国とは対等，朝鮮を下位とする伝統的な対外観をいだいていた。15世紀の日本には，琉球や南蛮（東南アジア）からの来航船もあり，幕府と通交していた。幕府は，献上品をもって来日する朝鮮，琉球，南蛮の使者を朝貢使節とみなして接遇し，みずからの華夷意識を満足させた。こうした自己中心的で日本国内でしか通用しない国際意識は，まさに室町幕府の華夷秩序というべきものであった。

　室町日本では，周防大内氏や対馬宗氏などアジアに近い九州地域の諸勢力が積極的な国際関係を展開した。大内氏は，百済の後胤を自称する武士で，通信符という割印を特別に下賜されるなど，朝鮮と非常に密接な関係をもつだけでなく，遣明船経営にも主導的に参画し，琉球とも通交関係を築いた。大内氏の国際関係は，まさに幕府と比肩しうるものであった。一方，対馬宗氏は，朝鮮通交を領国経営の生命線としていた。朝鮮半島南岸には，朝鮮が日本側通交者を受け入れる港＝三浦（薺浦・富山浦・塩浦）があったが，ここに多くの対馬島人が居住する日本人町があった。15世紀中葉以降，朝鮮通交権益が縮小すると，宗氏や博多商人は，朝鮮が優遇する有力者らしい名義を騙る偽使を派遣することで，有利な通交貿易を継続する手段を生み出した。彼らが創出した偽使には，日本国王や幕府周辺の有力者らしい人物の名義があるなど多様であった。

　1493年，京都で明応の政変が勃発し，将軍権力が足利義材（足利義稙，1466～1523）と足利義澄（1481～1511）とに分裂した際，将軍職を追放された義材が，日明勘合と日朝牙符の一部を持ち出し，求心力確保のために，アジアとの通交貿易を強く望む九州の有力者にばらまいた。その結果，室町殿の符験外交体制は崩壊し，16世紀以降，アジアとの通交貿易ブームが展開することになる。

アジアの大航海時代

　1368年に成立した明は，朝貢・海禁体制という新たな国際秩序を導入した。この結果，明との関係は，民間レベルでの交流が不可能となり，諸地域の首長（国王）名義の朝貢使節のみが受け入れられ，朝貢貿易が唯一の貿易手段となった。

　永楽帝（1360～1424）は，積極的な対外拡張政策をおこなったことで知られている。彼は，周辺地域への大規模な軍事遠征を展開したが，とりわけ鄭和（1371～1434？）の7回にわたる大航海は象徴的である。鄭和艦隊は，東南アジアから

図1　伝雪舟筆「国々人物図巻」（京都国立博物館蔵）　雪舟が中国で見た各国の人々を描いたもの。

インド・アラビア・東アフリカというムスリム世界に大きな影響を与え，多くの国や地域からの朝貢使節を呼び込んだ。とくに，新興の港市国家であるマラッカは，頻繁に朝貢をおこない，積極的に明の庇護を受けて発展し，東南アジア地域のハブポートとしての地位を確立した。鄭和の大航海は，後のイベリア勢力による大航海に先立つものといえる。しかし，明の拡大政策は，1449年の土木の変を契機として変容し，徐々に各国の朝貢の回数を制限するようになった。

　1392年に成立した朝鮮は，倭寇問題を解決するため，倭人に経済的なメリットを与えることで平和な通交者へと変身させる懐柔策をとったり，倭寇の巣窟とみなす対馬島に出兵するという己亥東征（応永の外寇，1419）をおこなった。倭寇懐柔策は，朝鮮側の経済的負担が大きかったため，世宗（1397〜1450）以降，日本側通交者を制限し，有力者の通交しか受け付けなくなる。朝鮮の通交統制は，対馬宗氏や博多商人らによる大規模で組織的な偽使派遣を誘発し，日朝関係は偽使の時代へと突入する。世祖（1417〜1468）の時，王権を荘厳するような仏教奇瑞を祝賀する多くの日本人通交者が登場するが，ほぼ宗氏が創出した偽使であった。朝鮮は宗氏らが派遣する偽使によって，現実とは異なる虚像としての日本を見せられており，その影響は朝鮮が編纂した日本・琉球ガイドブックともいえる『海東諸国紀』（1471年成立）の内容にも影響した。

　沖縄本島では，中山国・北山国・南山国の三山が明に朝貢していたが，1429年に中山国が統一を果たし琉球王国が誕生した。明の朝貢・海禁体制のもと，琉球は朝貢回数を優遇されたため，東アジアから東南アジアの文物と明の文物とをあつかう中継貿易という大航海で繁栄した。琉球や東南アジアの港市国家の通交貿易を支えていたのは華人海商のネットワークであり，琉球では那覇の久米村の華人が明や東南アジアとの通交貿易をになった。一方，日本や朝鮮との通交は禅僧や博多商人が介在した。琉球には，日本から禅宗が流入していたため，日本や琉球では禅僧が外交僧として活躍したのである。

　1453年，オスマン帝国がビザンツ帝国を滅亡させ，イスタンブルを都とするな

ど，地中海東部世界で覇権を確立した。ヨーロッパ世界は，胡椒などの香辛料を
ムスリム商人を介してオスマン帝国経由で確保していたが，やがて新たな貿易ル
ートの開拓に乗り出す。とりわけ，イスラーム勢力から国土を回復したイベリア
半島のポルトガルがアフリカからインド方面に，スペインがアメリカ方面にそれ
ぞれ進出した。1494年，両国はトルデシリャス条約を結んで机上で世界を分割す
る。ポルトガルのアジア進出は，インド洋海域では従来の海域秩序を乱すもので
あり，武力によって拠点となる港町を占領し，ポルトガルとインド洋海域とのシ
ーレーンを確保するものであった。

■　■　■

　15世紀の東アジアは，明の朝貢・海禁体制が機能し，明との関係は朝貢貿易が
基軸となっていた。この秩序をもっとも活かしたのが琉球王国であり，有名な「万
国津梁の鐘」に記されるように，貿易船でアジア諸地域を結んだ。15世紀は，東
洋の明が主導する大航海がおこなわれたが，その後，西洋のイベリア半島勢力の
大航海が開始された。15世紀の大航海は，東西世界の人・モノ・情報を結び付け，
世界の一体化を進めていく土台となった。

■参考文献
伊藤幸司「遣明船時代の日本禅林」『ヒストリア』235,2012
上田信『中国の歴史9 海と帝国』講談社学術文庫, 2021
村井章介・橋本雄・伊藤幸司・須田牧子・関周一編『日明関係史研究入門』勉誠出版, 2015
桃木至朗編『海域アジア史研究入門』岩波書店, 2008

日明貿易と硫黄

鉱物資源から見る室町・戦国

鹿毛 敏夫

　古代から現代に至るまで，人類の歴史は，地球上の鉱物資源の競合と獲得，利活用の歴史であったと言っても過言ではない。なかでも硫黄（サルファー）は，中世から近世初頭にかけて，主に豊後（大分）と薩摩（鹿児島）で採掘し，国内はもとより，宋・明や朝鮮，東南アジア諸国に大量に輸出され，産地はいわば「サルファーラッシュ」の様相を呈した。ここでは，15世紀に豊後と薩摩の硫黄山を領有した大友氏・島津氏という守護大名の成長を，当時の日明貿易の展開のなかでとらえるとともに，その後の世紀にかけての主要鉱物の転換が室町・戦国・江戸前期日本の政治動向に及ぼした影響についても展望してみよう。

日本産硫黄の内需と外需

　最初に，室町から戦国期にかけての日本における硫黄産業の実態から紹介しよう。日本においては，例えば，大徳寺の塔頭真珠庵に伝わる「真珠庵文書」のなかに，開祖一休宗純（1394～1481）の十三回忌における購入調度品を列挙した1493（明応2）年の帳簿「宗純十三年忌下行帳」がある。茶・味噌・昆布などの食品から高檀紙・筆・莚・漆などまで，総計110品目，126貫681文分の調達品のなかに，各々10文で調達した「灯心」と「硫黄」が並記されている。また，「大徳寺文書」の1509（永正6）年「如意庵校割帳」にも「硫黄箱一ヶ」が記されている。中世畿内の寺院において，硫黄が，堂内を照らす灯心の着火剤として使用され，それらが法会の必需品として箱に常備されるべきものであったこと，必要に応じて10文程度の銭で購入・調達することが可能な流通品・日用品であったことがわかる。

　さらに，当該期日本における硫黄は，史料上，中国明朝を相手とした遣

明船派遣の積荷として顕著に検出される。例えば，1451（宝徳3）年に派遣した遣明船団は，総勢9艘の船に1200人の使節団員が乗り込む大規模なものであった。『大乗院日記目録』によると，その積荷の内容は，15万4500斤の「銅」，39万7500斤の「油黄」（硫黄），10万6000斤の「簀黄」（蘇芳），9500振の「太刀」，417振の「長刀」，1250本の「扇」その他であり，最大の輸出品が硫黄であったことがわかる。1斤＝600gで換算すると，この年に日本から中国に輸出した硫黄39万7500斤＝238.5t。室町期の勘合貿易は，まさに明朝を相手とした日本産硫黄の「爆売り」だった実態が見て取れる。

▌硫黄資源の二大産地：豊後と薩摩

では，室町幕府は，これほど大量の硫黄を日本列島のどこから調達したのだろうか。

『戊子入明記』によると，1465（寛正6）年の遣明船派遣に関して，その「御商物」として「一，硫黄四万斤，大友方・志摩津方，これを進らす，門司・博多の両所においてこれを請け取る」との記述があり，派遣船に積み込む4万斤（24t）の硫黄は，豊前の門司（北九州市）と筑前の博多（福岡市）で，九州の守護大名の大友・島津両氏から受け取ったことがわかる。

実際に，輸出用硫黄の調達は，幕府からの使者を伴って，豊後の大友氏と薩摩の島津氏に伝達された。1483（文明15）年の派遣の際には，将軍足利義尚（1465〜1489）が大友政親（1444〜1496）に「渡唐の儀につき，硫黄事，前々のごとく申し付け候はば喜悦候」と，豊後からの硫黄の上納を要求し，その調達に際して陳外郎を派遣している。陳外郎は，明代初期に日本に渡った陳順祖を初代に，代々医術や漢学素養をもととした外交で京都と各地域を往来した明人で，明朝の官職「員外郎」を名乗った一族である。

では，こうした膨大な量の硫黄を，大友氏と島津氏はどのように調達したのだろうか。

まず，大友氏の本拠地豊後国における硫黄鉱石の主要産地は，同国由布院内に位置する標高1415mの伽藍岳（図1）と，直入郷と飯田郷の境界に

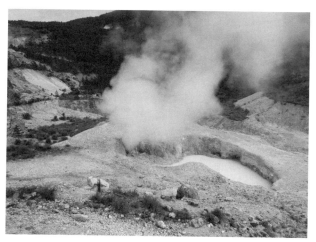

図1　伽藍岳(大分県由布市，著者撮影)

連なるくじゅう連山の一つで標高 1550m の硫黄山（図2）である。守護大名期の大友氏は，氏時（?〜1368）から親世（?〜1418）にかけての 14 世紀後半期に，領国内のこの二つの硫黄産地を直轄掌握するとともに，その鉱石の搬出ルートへの支配を強化していた。特に，くじゅう連山の硫黄山での硫黄鉱石の採掘の歴史は長く，1972（昭和 47）年に九重山硫黄鉱業所が閉山するまで続いている。16 世紀末に豊臣政権によって大友氏が改易され，豊後が小藩に分割統治された近世初頭には，くじゅう硫黄山は江戸幕府の直轄領として日田代官所の支配を受けた。1614（慶長 19）年の「真修寺文書」によると，くじゅう硫黄山からの硫黄採掘は山麓の田野村の村民によって続けられており，幕府が村に「硫黄運上銀」を賦課していたことが明らかである。

　一方，島津氏の本拠地薩摩国での主要産地は，大隅半島の南端佐多岬の南西 50km ほどにある硫黄島である。標高 703m の硫黄岳の山肌からは，現在も複数の噴煙が立ちのぼり，その煙口に黄色い硫黄鉱石が結晶する様子が見て取れる。硫黄島の硫黄鉱石がいつごろから採鉱され島外へ流通したかについては確かな史料がないが，鎌倉期成立の文学作品『平家物語』のなかで，流罪の身で島に暮らす俊寛（1143〜1179）が語った「この島には

図2　くじゅう連山の硫黄山(大分県九重町，著者撮影)

人の食ひ物絶えてなき所なれば，身に力のありし程は，山に登って硫黄と
いふ物をとり，九国より通ふ商人に会ひ，食ひ物にかへなんどせし」との
言葉は興味深い。食料に乏しい硫黄島では，体力のある者が硫黄岳に登っ
て硫黄鉱石を採取し，九州から訪れる商人に会って食料品と交換している
との証言である。

　室町幕府は，こうした九州の硫黄の二大産地である豊後と薩摩に使者を
派遣して，明への重要な朝貢・貿易品である硫黄の確実な現地調達に奔走
させたのである。

「硫黄大名」の15世紀

　このように，初期の日明貿易を主導した室町幕府は，中国へ輸出する硫
黄の調達を，火山が多く，かつ遣明船の航海路上に位置する九州の守護大
名大友氏と島津氏に求めた。両氏は，幕府からの調達命令を梃子に，その
領国内の硫黄鉱石の産地と搬出ルートを支配下に収め，また，その領国内
には硫黄鉱山を中心とした硫黄産業が発達した。

　実は，15世紀から16世紀にかけての大友氏と島津氏の戦国大名への成
長とその富強化は，経済的側面においては，自らの領国内に保有する良質

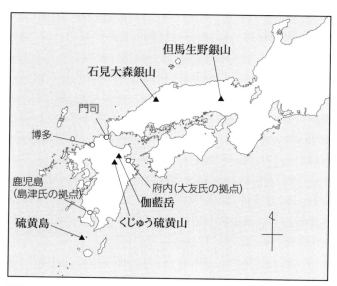

図3　15〜16世紀の主要鉱山関係地図

な硫黄鉱山からのこの鉱物資源の恩恵に負う部分が大きかった。前述の
1451（宝徳3）年の遣明船9艘における積載硫黄の船別内訳を調べてみると，
4万3800斤を積んだ1号船（天龍寺船）から1万1000斤を積んだ10号
船（伊勢法楽舎船）まで積載量にばらつきがあるなかで，最大の9万200斤
を積載したのは6号船（大友船）である。これは，自領国内に硫黄鉱山を領
有する大友氏の硫黄調達の優越性を物語っている。また，『臥雲日件録抜
尤』には，帰朝した6号船の商人から徴収する抽分銭率を，大友親繁（1411
〜1493）が他船より3割下げて賦課したことを記しているが，他の8艘の
平均積荷3万9000斤に対して，その2倍を上まわる硫黄を積載して対明
交易を成就させた親繁にとっては，抽分銭率減額分を差し引いても余りあ
る大きな利潤であった。大友氏と島津氏は，豊富な硫黄資源で室町・戦国
前期の他大名に優越した「硫黄大名（サルファー大名）」だったのである。

「硫黄の世紀」から「銀の世紀」へ

　だが，16世紀半ばの戦国後期になると，新たな鉱物資源としての銀鉱山

の開発が進み，その精錬技術の進歩によって，銀が主要な輸出資源となった。その銀鉱山からの恩恵を受けたのが，石見大森銀山や但馬生野銀山等の良質な銀鉱山への権益を競合の上で獲得した大内氏・山名氏・尼子氏・毛利氏等である。さらに16世紀末になると，国内統一を成し遂げた豊臣政権が各地の主要銀山をおさえて，その利益を独占した。すなわち，16世紀半ば以降の毛利氏や豊臣氏は，新たな鉱物資源である銀を支配することで他大名に優越した「銀大名（シルバー大名）」としての性質を有しているのである。

　このように，鉱物資源の獲得競争という観点から見ると，15世紀から17世紀にかけての日本社会は，硫黄を征するサルファーマネーの時代から，銀を征するシルバーマネーの時代に大きく転換していったと言える。その数百年間の時代を経て，やがて17世紀初頭に成立した徳川政権は，硫黄と銀の両方の権益を全国的に獲得して，安定した統一政権を実現した。初期の江戸幕府は，「硫黄の世紀」から「銀の世紀」への転換を集約し，サルファーマネーとシルバーマネーの双方を優越的に獲得した徳川氏の鉱業政策によって経済的に支えられたものとも言えよう。そして，その後の近代の歴史は，全国で炭鉱開発に伴う産業が隆盛を極めた「石炭の世紀」を経て，20世紀の「石油の世紀」＝オイルマネーの時代へと推移していくのである。

■参考文献
鹿毛敏夫『アジアのなかの戦国大名—西国の群雄と経営戦略—』吉川弘文館，2015
鹿毛敏夫編『硫黄と銀の室町・戦国』思文閣出版，2021
本多博之『天下統一とシルバーラッシュ—銀と戦国の流通革命—』吉川弘文館，2015
山内晋次『日宋貿易と「硫黄の道」』山川出版社，2009

津軽安藤氏の交易世界

篠塚 明彦

日本で初めてゾウが上陸したまち

　ゾウといえば誰もが知っている動物だろう。それでは日本へ初めてゾウがやって来たのがいつごろで，どこにやって来たのかはわかるだろうか。日本に初めてゾウがやって来たのは今から600年以上前の室町時代で，上陸地は現在の福井県小浜市であったという。このことにちなんで，小浜市の市民憲章には「私たちの小浜市は，日本ではじめて象が来たまちです。水と魚や野菜が一番うまいまちです。京や奈良の都へ文化を伝えたまちです。時代の先覚者をたくさん生み出したまちです。これを誇りとしここに市民憲章を制定します」とあり，市役所1階の市民ホールには「初めてゾウが来た港の図」という絵が掲げられている。市内には，上陸したゾウをつないだとされる「象つなぎ岩」も残されている（図1）。

図1　象つなぎ岩（内外海公民館）

　象つなぎ岩の案内板によると，ゾウがやって来たのは，1408（応永15）年6月で，前年に明王朝から宣慰使という職務に任じられていたスマトラ島パレンバンの王である亜烈進卿という人物が，室町幕府の足利将軍に親交を求めて派遣してきた船によって運ばれてきたものであった。ゾウのほかにもロバ，クジャク，オウムなども一緒に運ばれ，京の足利将軍のもとに届けられたという。なお，ゾウはその後，食料の大豆の調達に困った幕府により朝鮮国王へ貢物として贈られてしまったそうである。ちなみに，当時の将軍は第4代足利義持であった。

　このころ，ゾウを載せた船のほかにも，スマトラ島やジャワ島からの船が，小浜をはじめとする若狭湾周辺の港に来航していた。『福井県史』によると，「応永19年小浜来航の南蛮船は，派遣地は未詳であるが，パレンバンの施進卿による派遣の可能性はあろう。室町初期約30年ほどの期間に，暹羅（シャム）・爪哇（インドネシアのジャワ島）などより，華僑の頭目らの手により日本・朝鮮へ来航した船のあることが知られる」という。日本に来航した船の中には若狭湾周辺に来航していたものも少なくなかったようである。若狭湾周辺からは，琵琶湖を経由して容易に京に行くことができる。小浜市の市民憲章にあるとおり，小浜などの港は京への入り口となり「京や奈良の都へ文化を伝えたまち」として機能していたのであろう。

　15世紀前半の時期に，東南アジア船の活動が日本海のかなり奥まで到達していたことがうかがえる。すなわち，東南アジアの交易圏の北端は，少なくとも若狭湾の付近にまで及んでいた可能性がある。この時期の東南アジアの交易の活性化は，鄭和（1371～1434?）の南海大遠征によってもたらされたものであるという。アンソニー・リード氏は，「もし，東南アジアの『交易全盛時代』の始まりのそのときを選ぶとしたら，1405年の，宦官の将軍，鄭和の第1回遠征が最有力候補だろう」と述べている。鄭和の南海大遠征は，1405～1433年にかけて，7回にわたって行われている。その目的は，東南アジアからインド洋世界にいたる国々に対して明へ朝貢を促すことにあった。この大遠征が大きな影響を及ぼして，東南アジア海域の交易を活性化させる。小浜への南蛮船（＝パレンバン船）の来航はその余波であり，南海の交易圏の北端は日本海のかなり奥にまで達していたと考

えることができるわけである。

小浜の寺と青森県津軽地方

　ゾウが初めて上陸したまち小浜には，名刹として知られる羽賀寺がある。小浜市のホームページ内で，羽賀寺については，「山号鳳聚山。真言宗高野山派。……本堂は昭和41年9月に解体修理され，室町中期文安4年(1447)に再建された当時の偉容に接することが出来るようになった」と紹介されている（観光・文化の項目にある寺社・史跡記事一覧）。

　『本浄山羽賀寺縁起』によると，羽賀寺は1435（永享7）年に，造営からわずか40年足らずで，落雷により本尊を残して本堂が焼失してしまった。このことを嘆いた後花園天皇は勅命により，奥州十三湊の日之本将軍安倍康季を再建にあたらせた。康季は莫大な財貨を投入して再建に着手し，10年余りの歳月をかけて本堂の再建がなったという。

　ここに登場する安倍康季とは，津軽十三湊（現青森県五所川原市市浦地区）を拠点に勢力を誇った津軽安藤（安東）氏全盛期の当主安藤康季（生没年不詳）のことである。なぜ津軽の豪族安藤康季が遠く離れた小浜にある寺院の再建を行ったのだろうか。また，再建には莫大な財貨が費やされたというが，安藤康季はそれほど大きな経済力を持っていたのだろうか。

　鎌倉時代，幕府の保護のもとで「津軽船」とよばれた船が日本海で活動しており，津軽と若狭湾周辺とを結んで物資を運んでいた。もっともその積み荷の主な最終目的地は京都であっただろうが，小浜をはじめとする若狭湾の港は重要な中継拠点となっていた。津軽と小浜とを結ぶ海運は室町時代になっても大いに機能していた。小浜に「十三丸」という大船が入港していたことも記録されている。その船名から考えて，この船が十三湊を拠点としたものであることがわかる。室町期の十三湊は，三津七湊とよばれる当時の十大港湾の一つとして位置づけられていた港である。この港を拠点に日本海交易にも乗り出していたのが津軽安藤氏であった。日本海海運を通じて，十三湊や津軽安藤氏は小浜との密接な結びつきを持っていた。それゆえ，津軽安藤氏に羽賀寺本堂を再建せよという勅命がくだったのであろう。

図2　**福島城**（著者撮影）　十三湊から北東4kmほど，十三湖北岸にあり安藤氏の居城と考えられている。

　ゾウが小浜にやって来たように，若狭湾地域は南海の交易圏とも接点を持っていた。小浜と津軽安藤氏が密接な結びつきを持っていたということは，津軽安藤氏が南海の交易圏からやって来た人々と接点を持っていたということも十分に考えられるのではないだろうか。

環オホーツク海世界と南方世界

　ところが，津軽安藤氏が結びついていたのは，南海の交易圏だけではなかった。津軽よりもさらに北方の交易世界とも接点を持っていたのである。

　『本浄山羽賀寺縁起』では，安倍康季のことを「日之本将軍」としている。「日之本」とは，現在の北海道太平洋岸あるいは北海道全域を指していたものと考えられており，「日之本将軍」とは「蝦夷征討将軍」を意味していたという。つまり蝦夷支配の最高責任者というわけである。安倍康季が日之

本将軍とされていたことは，津軽安藤氏が実際に現在の北海道をどの程度
支配していたのかはともかくとしても，北海道方面との強い結びつきを持
っていたことを示している。

　江戸幕府が編纂した室町幕府の記録である『後鑑（のちかがみ）』の巻136には，1423
（応永30）年4月に安藤陸奥守が足利義量（よしかず）の将軍就任に際して献上品を贈っ
たことが記されている。その献上品は，馬20匹，鳥5千羽，鷲眼（ががん）2万匹，
海虎皮30枚，昆布500把だという。1423年という時代から考えて，この
安藤陸奥守は，先にみた安藤康季か，その父である安藤盛季（もりすえ）（生没年不詳）
と考えられている。献上品にみられる鷲眼とは中国銭のことであり，海虎
皮とはラッコの皮のことである。馬は奥州のものであろうが，鳥や昆布は
現在の北海道からもたらされたものである可能性が強い。ラッコ皮にいた
っては，さらに北方からもたらされたものであるかもしれない。ラッコは
道東のオホーツク海沿岸などでもみることはできるようだが，その主な生
息地は，千島列島・カムチャツカ半島・アラスカなどの北方海域である。
択捉島の北東に位置するウルップ島は別名「ラッコ島」とよばれている。
津軽安藤氏は，明らかに日本列島北方の交易圏と結びついていたことにな
る。足利将軍に大量の中国銭を献上している津軽安藤氏の豊かな財力の背
景には，北方海域との交易が関わっているのかもしれない。また，この財
力があったからこそ羽賀寺本堂の再建を成しえたのである。古代史を専門

図3　ラッコ／Alamy

とする菊池俊彦氏は，サハリン・北海道オホーツク海沿岸・千島列島からカムチャツカ半島・オホーツク海北岸地域に，古くより環オホーツク海交易圏が存在していたことを明らかにしている。津軽安藤氏が結びついていたのは，この環オホーツク海交易圏ということになるのだろう。

　十三湊を拠点に津軽安藤氏は，小浜で南方の交易圏と接点を持ち，一方で北方の交易圏とも結びついていた。「日本」という狭い枠組みを超えてグローバルに活動していたことになる。十三湊，あるいは津軽安藤氏を媒介として，南方海域・日本海・オホーツク海域が連続性をもって結びついていた可能性が十分に考えられる。海を通じて南と北の世界がつながってゆくのである。

■参考文献
小口雅史編『津軽安藤氏と北方世界』河出書房新社，1995
菊池俊彦『オホーツクの古代史』平凡社新書，2009
福井県文書館デジタル歴史情報・福井県史通史編『福井県史 通史編2中世』
http://www.archives.pref.fukui.jp/fukui/07/kenshi/tuushiindex.html
リード，アンソニー『大航海時代の東南アジアⅡ—拡張と危機』法政大学出版局，2002

13〜15世紀のアイヌの北方交易

中村 和之

▎アイヌとモンゴル帝国との関係

　20世紀に生きた二人のアイヌの女性が，アイヌの歴史について対照的な文章を残している。知里幸恵（1903〜1922）は「その昔この広い北海道は，私たちの先祖の自由の天地でありました」と言い，砂沢クラ（1897〜1990）は「むかし，むかし，アイヌたちは毛皮を船いっぱいに積んで遠い海を渡り，アトゥイヤコタン（海の向こうの国＝大陸）へ行っては，宝物や着物，食べ物や酒と換えて帰ってきていました」と言っている。おそらくはモンゴル帝国時代に始まるアイヌの交易活動が，北東アジアと北海道，さらには東北をつないでいたのであろう。

　13世紀のユーラシア大陸は，おおきな変化に見舞われた。それはモンゴル帝国（1271年からは元朝という）の成立とその膨張である。チンギス・ハン（在位1206〜1227，元朝では太祖皇帝）の孫のフビライ・ハーン（在位1260〜1294，元朝では世祖皇帝）の治世が始まってまもなくの1264年，『元史』にアイヌについての記事が登場する。『元史』の記すところによれば，モンゴル軍はニヴフ（旧称はギリヤーク）から，骨嵬（アイヌ）と亦里于とがニヴフの境界を侵すという訴えを受けて，ニヴフを守るためにアイヌを攻めたと記されている。ただし，これはあくまでモンゴル側による記述であることに留意しなければならない。なお，亦里于は『元史』のここにしか見られないため，どのような集団か詳細は不明である。13世紀の段階で，アイヌはサハリン島（樺太）に定住するようになっており，元朝の史料に出てくるアイヌとは，サハリン島に住んでいたアイヌであることがわかる。彼らはすでに，北海道アイヌとは違う，サハリンアイヌの独自の文化を形

成しつつあったと思われるが，この点については，今後まだ検討が必要である。

最初の攻撃から20年が経過した1284年，元軍はアイヌを攻撃した。この攻撃は85年，86年と3年連続した。86年には，兵を1万人，船を1000艘も動員したという。この一連の攻撃により，アムール川下流域やサハリン島に居住するニヴフは，元朝の支配下に組み込まれた。その証拠として，ニヴフは百戸や千戸などのモンゴルの軍制による位を，元朝から与えられているが，アイヌは元軍とは敵対的で戦いを交えており，ニヴフのように位を与えられていない。

図1　関連地図

▍サハリン島での沈黙交易

　アイヌはモンゴル軍と戦い続ける一方で，サハリン島で銀鼠（ぎんそ）の沈黙交易を行っている。沈黙交易とは相手と直接接触しない形で交易が行われる，古い形の交易の仕方である。アイヌは銀鼠の毛皮を小屋に置いておき，元朝の支配下にあった野人というツングース系の集団が中国の物資を置いて交易をしたという。野人の交易品は，元朝への朝貢の結果として手に入れたものであるから，アイヌは野人の仲介で間接的に元朝と交易をしていたことになる。それは，アイヌが元朝との間で係争関係にあり，直接的な交易が困難だったためと思われる。また，アイヌと野人との沈黙交易が元朝の史料に残っているということは，元朝が野人とアイヌの交易を認めていたこと，最低でも邪魔をしていなかったことを示す。あくまで想像であるが，

元朝はアイヌを毛皮交易のネットワークに組み込む形で，影響力の強化をもくろんでいたのではなかろうか。

　なお銀鼠は冬毛が純白で，尾の先の尖ったところが黒いと記されている。このことから，銀鼠がイタチ科の毛皮獣のオコジョであることがわかる。では，なぜ元朝はオコジョの毛皮を集めていたのであろうか。マルコ・ポーロの『世界の記述（東方見聞録）』によれば，モンゴルの宮廷では，毎年13回，参加者が同じ色の衣装を身にまとって参集する宴を開いていたという。その宴はジスンの宴といわれた。ジスンとは，モンゴル語で色という意味である。ジスンの宴で最も重視されたのが，正月に開かれる白い宴であった。劉貫道「元世祖出猟図」に描かれるフビライ・ハーンは，純白のオコジョのコートを着ている。少数のモンゴル人で広大な領土を統治しなければならなかったモンゴル帝国は，支配階層の一体化を高めるために同じ色の衣装で集まる場を設けたのである。ただしそこには当然，身分の差はあった。皇帝や妃など皇族は，純白のオコジョの毛皮を身にまとっていた。つまり身分の差は「見える化」されたが，所属する集団の差は「見えない化」されたのである。

白主土城とモンゴル軍

　アムール川の下流域に位置するティル村は，奴児干（ヌルゲン／ヌルガン）と呼ばれ，遅くとも金代にはヌルゲン城が置かれていた。元代には東征元帥府が置かれ，この地域の統治の中心であった。後述するが，明代にはヌルゲン都司という役所が置かれている。実は，モンゴル帝国／元朝の時代にモンゴル軍がサハリン島まで進軍したことは文献史料では示されているが，物的な証拠があるわけではない。唯一の例とされるのが，サハリン島最南端のクリリオン岬（旧称は西能登呂岬）にある白主土城という砦の跡である。間宮林蔵は白主土城が「コヌハウ」という地名だったと記している（図2）。一方，元軍の前進拠点に果夥（kuo-huo）という場所があった。筆者は音の類似から果夥がコヌハウではないかと考え，白主土城が元代の果夥ではないかとの説を発表している。

　白主土城からは，天気の良い日は北海道北部の利尻島の利尻富士といわ

図2　間宮林蔵『北夷分界余話』巻之二「チヤシ図」(国立公文書館内閣
文庫蔵)

れる山が肉眼でもはっきり見える。それほど近いのである。そのため，元
軍がサハリン島最南端まで進出したことと1274年，81年に九州へ来襲し
たことを結びつけて，これを「北からの蒙古襲来」と呼ぶ意見がある。し
かしそれが，元朝がサハリン島と九州の二方向から日本を攻めようと意図
したという意味であれば，筆者は賛成できない。1402年に朝鮮王朝で作成
された「混一疆理歴代国都之図」は，モンゴル時代のユーラシア地図の面
影を残したものとして知られている。この地図からうかがい知ることがで
きる地理認識では，アムール川の下流域までしかわかっておらず，サハリ
ン島の南に北海道や本州が存在することはモンゴル側に知られていなかっ
たからである。

明代のヌルゲン都司の朝貢交易とアイヌ

　元代の東征元帥府に続いて，ティル村には明の永楽帝の命令によってこ
の地に来た宦官のイシハ（亦失哈）によってヌルゲン都司という役所が置か
れ，さらにヌルゲン永寧寺が併設された。ヌルゲン城，東征元帥府，ヌル
ゲン都司の詳細はわからないが，ヌルゲン永寧寺だけは故A.R.アルテーミ
エフ氏によって発掘調査がなされている。

　イシハはヌルゲン永寧寺の前に二つの石碑を立てた。1413年立石の「勅
修 奴児干永寧寺記」と1433年の「重建永寧寺記」である。1413年の石
碑には，明朝が貢ぎ物を持ってきた者に対して「海の外の苦夷の諸民に及

図3　間宮林蔵『東韃地方紀行』巻之中「進貢」（国立公文書館
内閣文庫蔵）

ぶまで」，「男婦に衣服と器用を賜い，穀米を給え，酒と饌で宴した」と記
されている。苦夷とは明代のアイヌの表記で，苦兀とも書く。ヌルゲン都
司があった現在のティル村から海を渡ったところに，アイヌがいるという
ことから，間宮海峡の向こうにサハリン島があると知られていたことがわ
かる。

　1413年の石碑は正面が漢語，背面が女真語とモンゴル語の対訳である。
先に記したように，明朝は「衣服」を下賜していたが，これは絹織物であ
った可能性が高い。漢文で「衣服」とあるところは，女真文では「etu-ku（衣
服）」であるが，モンゴル文では「torɣan（緞子）」と「dägäl（衣服）」とな
っており，緞子があげられているからである。このように中国製の絹織物は，
朝貢に対する下賜品として先住民たちに与えられた。このことは清代にな
っても同様であった。間宮林蔵の『東韃地方紀行』の挿絵には，デレンの
満洲仮府で，先住民たちが，清朝の官吏に黒貂の毛皮を朝貢する様子が描
かれている（図3）。官吏が座る脇には反物が積まれているが，これが下賜
された官服の反物である。清の雍正帝（在位1722～1735）の時に服でなく，
一着分の反物を与えても良いとされたのだが，これらの絹織物はサハリン
島から北海道に持ち込まれ，北海道で和人と交換され「蝦夷錦」と呼ばれ
た（図4）。

図4　蝦夷錦（市立函館博物館蔵）

図5　蝦夷錦の端切れ（竹内孝氏撮影）
向かって右側の端切れが15世紀初頭の資料。

　現存する蝦夷錦の資料を，放射性炭素年代測定法で測定してみると，ほとんどが17，18世紀の清代のものである。しかし15世紀初頭の年代を示す資料もある。それはサハリン島北部のルポロヴォで採集され，現在はサハリン州立郷土誌博物館に収蔵されるニヴフの帽子に，修理のために縫い付けられていた端切れである（図5）。向かって右の端切れからは，14世紀後半ないし15世紀初頭の年代が得られ，15世紀初頭の可能性が高いことがわかった。これは，まさにイシハがヌルゲン都司を設置した時期である。このように，明朝のアムール川下流域における朝貢交易の存在は，『大明実録』などの文献史料にとどまらず，実物の資料によっても裏づけられている。

■参考文献
アルテーミエフ，A.R.（垣内あと訳）『ヌルガン永寧寺遺跡と碑文—15世紀の北東アジアとアイヌ民族』北海道大学出版会，2008
小田寛貴・中村和之「加速器質量分析法による蝦夷錦の放射性炭素年代測定—『北東アジアのシルクロード』の起源を求めて—」『考古学と自然科学』75号，2018
砂沢クラ『ク スクップ オルシペ—私の一代の話』北海道新聞社，1983
知里幸恵『アイヌ神謡集』岩波書店，1978
中村和之「モンゴル帝国と北の海の世界」櫻井智美ほか編『元朝の歴史—モンゴル帝国期の東ユーラシア』（アジア遊学256），勉誠出版，2021

万国津梁の琉球王国

村木 二郎

　日本列島が中世と呼ばれる 11 世紀後半から 16 世紀。沖縄諸島を中心とした琉球は，この時期に農耕社会に移行し，地域内抗争を経て王国が統一され，中国・明の後ろ盾を得ながら東アジア海域の主役に躍り出る。薩摩の侵攻によって社会が再編される以前の，中世併行期の琉球の光と影を追ってみよう。

▊ 北からのインパクト

　狩猟・漁労・採集によって生業を立てていた琉球の社会は，11 世紀ころに農耕社会へと推移する。この変化にあたって注目されるのが，喜界島の城久遺跡群である。奄美大島の対岸に位置するこの小さな島の高台に，8 世紀後半から遺跡が形成され始める。南九州との結びつきが強い遺物や遺構が見られ，在地的要素が薄いことから，南島の産物を日本列島に供給する交易拠点として注目されている。赤木や檳榔，夜光貝といった南島の産物は都の貴族たちの垂涎の的であった。城久遺跡群のピークは 11 世紀後半から 12 世紀前半で，大型掘立柱建物を中心に建物群の分布域が広がるほか，中国産の白磁が大量に出土する。また，長崎県の西彼杵半島で産出する滑石を加工した石鍋片や，徳之島産の無釉陶器であるカムイヤキもこの時期に見られる特徴的な遺物で，いずれも島外からもたらされた交易品である。こうした白磁・石鍋片・カムイヤキが，この時期の琉球でも見られる。琉球が農耕社会に転換するにあたり，北からのインパクトが大きな影響を与えたことが推定される。

　これまで海岸砂丘周辺に集落を形成していた琉球の人びとは，丘陵地に集落を営むようになる。こうした集落のリーダーが，次第にいくつかの集

落を束ねて地域の有力者である按司に成長していった。按司たちが抗争するなかで，集落は柵列や石垣で囲われ，防御性の高いグスクが形成される。巨大グスクとして知られる勝連城跡は発掘調査の成果から，12 〜 13世紀に丘陵地での集落形成が始まり，14世紀になって高い石垣を巡らし基壇建物を持つようになり，城塞化していったことがわかっている。

図1　琉球弧の島々と沖縄島

三山と朝貢貿易

　按司たちの抗争によって琉球の地域社会は次第に統合されていき，今帰仁城を中心とした山北，浦添城を中心とした中山，島尻大里城などの山南の三山に勢力がまとまっていった。中国では元が滅び，1368年に朱元璋（洪武帝，1328 〜 1398）によって明が樹立された。東アジアの盟主を自認する明は，周辺諸国に使いを出して朝貢を促し，冊封体制に取り込んでいく。早くも1372年には明使楊載が琉球のなかでも最大勢力の中山に到来し，中山王察度（1321 〜 1395）は弟の泰期を明に派遣し朝貢した。その後，山南や山北も各個に朝貢することとなる。

　明は中国商人の自由貿易を禁止する海禁政策を取っており，貿易は朝貢時のみに制限されていた。しかしそうした建前とは別に，国外の物産に対する需要は大きく，その入手経路が求められていた。そこで目を付けたの

が琉球である。朝貢に際しては、朝貢国がもたらした産物をはるかに上回る回賜品を与えて明は威信を示すので、朝貢国には大きな利益となる。そのため朝貢回数には制限があり、3年に1回が基本とされている。しかし琉球は「朝貢不時」、すなわち回数制限がなかった。また日明貿易のことを勘合貿易とも言うように、日本などでは許可証である「勘合」を所持することが義務付けられたが、琉球船には必要なく、さらには明から多数の貿易船まで与えられた。このように、明は琉球を優遇することで、シャムをはじめとした東南アジア諸国と琉球との貿易をも促し、硫黄や馬といった琉球産物だけでなく、胡椒や蘇木など東南アジアの物産が中国へもたらされるルートを作り上げた。こうした中継貿易により、琉球は空前の繁栄を見せたのである。

　明や東南アジア諸国との貿易を担ったのが、福建由来の中国人である。彼らは漢文による文書作成能力や外洋への操船技術に長けており、那覇の久米村に中国人街を形成して琉球の王朝を支えた。外交文書の控えは『歴代宝案』として伝わっており、シャムやマラッカ、パレンバンなど東南アジア各地と盛んな交易を繰り広げていたことがわかる。

▍琉球王国と那覇・首里

　14世紀末の琉球は三山が鼎立しており、互いに抗争を繰り広げた。山南の佐敷按司であった尚巴志（1372〜1439）は、1406年に浦添城の中山王武寧を滅ぼし、父である思紹（?〜1421）を王位に就けた。父の死後は中山王位を継ぎ、1425年には明から正式に琉球国中山王に冊立される。1650年に編纂された『中山世鑑』によると、これと相前後して、1422年に山北、1429年に山南を滅ぼして中山のもとに琉球王国が統一された。

　中山が琉球で最も栄えた要因として、膝下に那覇港を抱えていたことが大きい。サンゴ礁に囲まれた沖縄島は、大型船が入ることのできるポイントが意外に少ない。那覇は河口に浮かぶ島で、川が流れ込むことによってサンゴ礁の発達が妨げられ水深が深い。そのため大型船が入港できる貴重な港であった。明や東南アジア、日本との交易拠点として那覇は賑わい、中国人街や日本人街までつくられたのである。

尚巴志は中山の王都であった浦添城から，那覇に近い首里城に都を移した。琉球最古の碑文である1427年の「安国山樹華木之記」に，首里城の庭園や池・築山の整備の事績が刻まれており，このころまでには首里が琉球国都となっていたことがわかる。この事業を執り行った王相の懐機は久米村出身の中国人であり，1452年には浮島の那覇と首里を結ぶ長虹堤も築いている。

第一尚氏から第二尚氏へ

尚巴志の後は早逝の王が相次ぎ，第5代の尚金福王が亡くなると，息子の志魯と弟の布里が後継者の地位を争った。この騒乱で首里城正殿は焼失し，明から下賜された鍍金銀印の中山王印も失われた。首里城跡の発掘調査により正殿は何度も建て替えられたことがわかっているが，とくに15世紀半ばの火災は大規模で，中国産青磁の高級品やベトナム産染付，タイ産の壺など火災に遭った大量の遺物が出土している。

1453年の志魯・布里の乱で，両者は共に没してしまい，尚金福の弟すなわち尚巴志の7男である尚泰久（1415～1460）が第6代王に就く。1458年には琉球王国を支える有力按司である，中城の護佐丸と勝連城（図2）の阿麻和利が滅亡するなど，政治的な混乱は続いた。しかしその一方で，尚泰久は当時の琉球では最大の寺院である天界寺を創建したほか，確認でき

図2　阿麻和利の本拠・勝連城跡（著者撮影）

るだけでも23口もの梵鐘を鋳造して寺社などに寄進し，後世「仏法之明君」
と称えられた。なかでも再建した首里城の正殿に掲げられた，いわゆる万
国津梁の鐘には「琉球国は南海の勝地にして三韓の秀を鍾め，大明を以て
輔車と為し，日域を以て唇歯と為す。此の中間に在りて湧出するの蓬莱嶋
なり。舟楫を以て万国の津梁と為し，異産の至宝は十方刹に充満す。」とい
う有名な銘文が刻まれており，琉球は朝鮮・明・日本と密接な関係をもち
万国の架け橋として栄えていると，高らかに宣言している。

　尚泰久に抜擢された人物が金丸（1415〜1476）である。彼は那覇の行政
と貿易を司る重要な役職を与えられた。尚泰久の子である尚徳王が1469
年に没すると，金丸が王として推戴され尚円を名乗る。これは事実上のク
ーデターで王統は断絶したのであり，それ以前を第一尚氏，以後を第二尚
氏の王朝と呼ぶ。第二尚氏王朝は，明治政府によって琉球王国が沖縄県と
して日本に併呑されるまで続くことになる。

▌尚真王と琉球帝国

　尚円の息子尚真（1465〜1527）の治世は約50年間に及び，琉球王国の
最盛期を現出した。各地に割拠していた按司たちを首里城下に集住させ，
地方には首里王府の役人を派遣して直接支配した。中央組織は三司官をト
ップにして，行政だけでなく，首里城や那覇港の警固にあたる軍事，各国
との貿易を運営した。また，琉球では非常に重視される祭祀を司ったノロ
たちも，王族の女性である聞得大君を頂点に組織化された。こうした首里王府による中央集権化は尚真王の時代に進められた。

　尚真王の時代には，琉球王国の領域も拡大した。1509

図3　波照間島マシュク村跡遺跡の石囲い（著者撮影）

年に刻まれた首里城正殿の「百浦添之欄干之銘」には尚真王の事績が列挙されている。なかでも最も長文で記されているのが，1500年に行った太平山征討である。太平山とは沖縄島からさらに南西に展開する宮古・八重山地域を指す。この地域には石で囲った独特の集落が見られ，石垣島のフルスト原遺跡や，竹富島の花城村跡遺跡，波照間島のマシュク村跡遺跡（図3）などは，いくつもの屋敷が細胞状に連なった大規模な石囲い集落遺跡として今に残っている。こうした集落は沖縄島では確認できず，宮古・八重山に特有である。遺跡からは13世紀後半から15世紀代の中国産白磁・青磁が大量に見つかっており，この地域は沖縄島とは異なる独立した文化圏であったことがわかってきた。そして，尚真王の太平山征討に対応するように，16世紀にはこれらの集落は消滅していたのである。近世の史料には，王府の命に従わない石垣島のオヤケアカハチを1500年に，与那国島のウニトラを1522年に征討した記録が載る。しかし，いずれも侵略した側の論理で書かれていることには注意せねばならない。

　尚真王が創建した第二尚氏の菩提寺である円覚寺には梵鐘が3口掛けられた。そのなかのやや小ぶりな殿中鐘には「尚真帝王」という金字銘が見られる。薩摩の侵攻によって琉球王国の平和は破られるが，それ以前の琉球にはこうした帝国的側面もあったのである。

　琉球の歴史は近世に首里王府が編纂した史書によって語られることが多い。しかしそこに記された歴史は首里王府中心史観によっており，敗者や被征服者の声がどこまで反映されているのか心もとない。遺跡や遺物，梵鐘や碑文など，客観的な資料も加えることで新たな琉球の歴史が見えはじめている。

■参考文献
上里隆史『海の王国・琉球』洋泉社, 2012
高良倉吉『琉球王国』岩波新書, 1993
中世学研究会編『中世学研究2　琉球の中世』高志書院, 2019
村井章介『古琉球　海洋アジアの輝ける王国』角川選書, 2019

中世日本のジェンダー関係

久留島 典子

　日本の歴史のなかで女性の社会的地位はどのように変化したのだろうか。また，中国など東アジアの他の地域と比べてどのような特徴があるのだろうか。

　女性の社会的地位というのは，いうなれば，社会における女性と男性の関係，ジェンダー関係ということになる。中世日本のジェンダー関係は，古代以来中国（東アジア）の強い影響を受けながらも，中国とも異なる独自の特徴を持っていた。その状況を，初めて影響が及んだ古代に遡り，法が示す規範と社会の実態という視点からみていくことで，日本のジェンダー関係のあり方と東アジア地域間のつながりについて探っていこう。

律令制導入による新たなジェンダー規範

　律令制の導入は，古代日本にとって大きなインパクトであった。官僚制国家の基盤として，唐の律令を見ならう形で編纂されたのが日本の大宝律令（施行 701・702）・養老律令（同 757）だが，唐律をほぼそのまま写した律（刑法）に対し，令（行政法等）は日本の実情にあわせて大幅に改変されたと指摘されている。それでも，特に婚姻の慣習や親族の捉え方，男女の社会的地位等に関わる点は，当時の日本と唐代中国とではかなり異なった状況にあり，法と実態とではかけ離れていたことが，女性史研究の成果として明らかにされてきた。しかし律令制は，家族・親族関係という，政治的な強制力では早急に変わりにくい側面においても，長期間にわたって緩やかに，しかし結果的には大きな影響を与えていったのである。

　令のなかでも家族秩序などを規定する戸令に関する条文検討の成果によれば，まず「婚姻」とはどのようなことを示すのかという考え方自体が，

令の条文と当時の実態とで大きく異なっていた。中国では婚姻とは男の家と女の家との間の契約であって，予め婚姻を取りしきる者を決め，定められた手続きや儀式を経なければ婚姻とはいえなかった。だからそうした手続きを経ない男女の性的関係は，「姦（かん）」として法律で処罰され，強制的に離婚させられたのである。しかし古代日本の婚姻とは，男が女のもとに通い始めるのがその開始であり，通い続けることが婚姻の継続であった。そして当時の律令法を解釈する専門家もそう理解していた。そのことは，たとえば女の家側から婚約解消や離婚を請求できる条件の一つ「理由なく３か月たっても結婚しない場合」（戸令26条）を，法律家たちが「男が理由もなく通ってこないこと」と解釈していることからわかる（『令集解（りょうのしゅうげ）』という法律解釈書による）。中国では女性が婚姻状態によって明確に分類され，未婚は「女」，既婚は「婦」，そして夫を失った女性は「寡婦」と区別された。また正式な「妻」とそうでない「妾」も厳格に区別された。しかし，「婚姻」の概念が異なる古代日本では，そうした区別は極めて曖昧であった。したがって夫婦関係や家族という単位も不安定なものであり，年長の男性が家族構成員を統率し経営する家父長制家族は未確立で，経営単位とはいえないというのが律令制導入当時の実情であったと指摘されている。

　一方で律令制に基づく官僚制は基本的に女性を排除していた。また日本では女性にも班田給付があったが，課役の負担責任者は原則男性に限られた。男性を中心とするこうした制度は，家族や経営の実態とは無関係であったにもかかわらず，制度として導入された影響力は極めて大きく，その後の社会を男性中心のものに規定していく。

ジェンダー関係における中世の法と実態

　律令導入以降，律令に代わって社会の様々なことを網羅的に規定する法律は，中世日本はもちろん近世でも施行されることはなかった。確かに中世には，御成敗式目をはじめとする幕府法や戦国大名家法など武家の法はもちろん，寺院法や公家法など種々の法が存在した。しかし，それぞれの法は適用される対象が限定的であり，どのような組織に所属して誰を主人とするか，あるいはどの地域に住んでいるかなどによって，適用される法

（二一条）
一　夫の罪過によって、妻女の所領没収せらるるや否やの事（本文省略）

（一八条）
一　所領を女子に譲り与うるの後、不和の儀あるによってその親*1悔い還すや否やの事
右、男女の号異なるといえども、父母の恩これ同じ。ここに*2法家の倫申す旨ありといえども、……女子もし*3向背の儀あらば、父母よろしく*4進退の意に任すべし。（下略）
*1　取り返すこと。　*2　律令をもとにした公家法の専門家。　*3　きょうはい、反抗すること。　*4　親の自由とする。

（二二条）
一　妻妾夫の譲を得、離別せらるるの後、かの所領を領知するや否やの事（本文省略）

（二三条）
一　*1女人養子の事
右、*2法意の如くばこれを許さずといえども、*3大将家御時以来当世に至るまで、その子無きの女人ら所領を養子に譲り与うる事、*4不易の法勝計すべからず。（下略）
*1　女性が養子を迎えること。　*2　律令法によれば、数えられない。　*3　源頼朝の時代。　*4　変更しない法であり、数えられない。

史料　御成敗式目条文（原漢文）

律は異なっていた。さらに家族や親族関係全体を法によって秩序立てようという傾向自体が、中世日本には存在しなかったといえる。またキリスト教やイスラームのように、宗教が婚姻や家族のあり方を法として定め積極的に管理する傾向も、中世日本で最も影響力のあった仏教の場合弱かった。家族のあり方は、法というより慣習や習俗によって規制され、その変化も緩やかなものだったのである。

　しかし、律令に代わる体系的な法が生まれなかったということは、後の時代に何らかの法を新たに制定しようとする場合、現実とは乖離した律令の文言・条文を常に意識し続ける状況を生みだした。そのことが逆に、当時の実態を示す貴重な手がかりをも提供してくれる。

　御成敗式目の例がそれだ。たとえば式目23条は、女性が養子を迎え所領を譲与するという当時の武家の慣習をよく示す条文だが、そこには「律令法はこれを許さないが」という文言がある。また18条は女子に譲与した所領も男子同様、親の意思で取り戻し可能と規定した条文で、その前提には、

婚姻後も妻の財産は夫の支配下に入らないという武家の慣習が存在した。ここにも「律令の法律家たちには異論があるだろうが」と，律令を意識した文言があるが，それは律令の流れをくむ公家の法では，妻の財産に夫の支配が及ぶため，結婚した女子への譲与財産は親の思うままにはできなかったためである。こうした律令との齟齬を示す文言は，女性に関係する条文に多いという指摘があり注目される。さらに式目では，上記18条・23条のように女子対象の法律でも未婚・既婚の別を明示しないし，「妻妾」の語で一括し (21条)，「妻」と「妾」を区別していない。また11条・34条のように，女性が所領を所持していることを想定している条文も存在する。このように御成敗式目には，律令が示すジェンダー規範との差異を，それとは意識せずに表している部分が多い。一方，式目には当時の実態とは乖離した条文もある。たとえば人妻と密かに性的関係を持った男に対して，式目の罰則は比較的軽いものだが (34条)，当時の慣習としては，男女がいる現場に踏み込んだ女の夫によって，男が殺害されることはいわば当然のことであったという。

　以上のように，種々の史料から解明された実態とは別に，中世のジェンダー規範ということでは，律令的規範が次第に拡大するという捉え方もあれば，社会に存在し続ける古代以来の独自のジェンダー意識により，ついに規範としては根付かなかったという考え方もある。

▍女性排除の社会システムと日本の特徴

　女性は原則として役人にはなれないという女性排除の社会システムである律令的官職制は，本来中国のような家父長制社会を前提とする。しかし日本では，逆に官職制が社会を家父長制的に編成する方向で作用していった。官職制に直接関わる貴族層から，家父長制家族や，荘園などを支配する経営体としての家が成立していくのもそのためである。他方武家の主従制の場合，女性排除が必然でないことは，地頭職所持者には当初女性も存在したことがよく示している。家父長制家族では親の権利・権威がまず大きな力を持ち，主人であっても親の決定を尊重せざるを得なかったから，親の意思で女子に譲与された所領は多かったのである。

しかし親が持つ強い決定権は，やがて所領を保全し家を継続することを最優先の目的とする嫡子単独相続制をもたらし，相続から女性や男性庶子を排除していった。これには主従制の強化も大きく影響していた。鎌倉時代後期，モンゴルの脅威のなか，九州地方の御家人に限定とはいえ，鎌倉幕府が女子への所領譲与を禁止したのは，軍事的要請を理由に親の決定権を規制した例といえる（追加法596条）。こうして女性を排除した形で嫡子が単独で所領など家産を相続していく家が武家でも形成されていった。他方，庶民層が形成する村や町の共同体でも，共同体を構成する家の代表は男性で，女性は原則排除されていた。これは律令制以来の課役負担責任者は男という制度に強く規定された結果といえる。

　こうして女性排除の社会システムが中世後期には確立するが，父系制の中国とは異なる日本の特徴もある。たとえば「婿養子」が示すように，女性は家の血統を継承する者としては排除されていなかった。官職制や主従制に参入できるのは男性のみだが，彼自身はその家の血縁者でなくとも，妻が血縁的に家を継承しているなら問題はなかったのだ。養子も，父方・男系から迎えるものとされる中国とは異なり，日本では母方・女系から迎える例も多く，古代以来の父方・母方両方を同等の親族とみなす意識が根強く存在していることを示している。

　また日本ではジェンダーによる空間的分離があまり明確でないことも特徴といえる。確かに女人禁制の場が寺院法などに明文化されているが，15世紀に使節として日本を訪れた朝鮮王朝の官僚を驚かせたほど，寺院でさえ，ジェンダーによる空間的分離は曖昧であった（宋希璟『老松堂日本行録』）。婚姻以外の性的関係を倫理的に罪悪視する中国の「奸」の意識は，日本ではほとんどなかったと推測できる。紛争を招く行為は規制されたが，内面化されたジェンダー規範の存在を，中世日本で発見することは難しい。

ジェンダー関係と地域のつながり

　近世になると，儒教の影響が強まり，武家はもちろん庶民層への儒教道徳による教化が始まる。これはジェンダー秩序における古代に続く第二の中国の影響ともいえよう。

　しかし注目すべきは，律令やさらに古い時代に遡る理念をそのまま実態のように理解しがちな中国でも，最近の研究は時代や地域の違いによる多様なジェンダー関係の存在を次々と解明している点である。それはあたかも現実とは乖離した戸令を導入した日本が，規範と実態の間で中世・近世と徐々に変容していく，その長い道程と相似形ともいえる。

　儒教道徳が儒者によって語られ前面に出てくる日本近世でも，その内容は男女の空間的分離を含まず，異姓養子を認めるなど，本来の中国における儒教の教えとは異なることが指摘されている。またジェンダー秩序が近世日本で内面化された倫理規範にまでなったかというと，それも疑問である。

　結論的にいえば，日本のジェンダー関係，ジェンダー規範が大きく変化するのは，明治民法の施行といっても過言ではない。それは近代ヨーロッパの19世紀的家父長制思想と近世の儒教的規範の両者に基づき，夫婦・家族・親族関係等を法律によって管理しようとする，律令導入以来の試みであったともいえる。そして実際それは社会の実態を大きく変化させていくのである。

　以上の点をもう少し一般化すれば，ジェンダー関係はある地域で自生的に形成されてくるわけではなく，地域間交流のなかで，「先進的」とされるモデルから大きな影響を受けるといえる。そしてその影響と地域独自の歴史的に形成されてきた基層との相互関係のなかで，ある地域，ある時代のジェンダー関係，ジェンダー秩序が生まれてくるといえよう。日本中世はその一つの実例である。

■参考文献
勝俣鎮夫「中世武家密懐法の展開」『戦国法成立史論』東京大学出版会, 1979
久留島典子・長野ひろ子・長志珠絵編『ジェンダーから見た日本史』大月書店, 2015
小浜正子・板橋暁子編『東アジアの家族とセクシュアリティ―規範と逸脱―』京都大学学術出版会, 2022
野村育世「御成敗式目とジェンダー」『ジェンダーの中世社会史』同成社, 2017
義江明子, 伊集院葉子, Joan R. Piggott「日本令にみるジェンダー ―その(1)戸令―, Gender in the Japanese Administrative Code　Part 1: Laws on Residence Units」『帝京史学』28号, 2013
渡辺浩『明治革命・性・文明―政治思想史の冒険』東京大学出版会, 2021

イブン・バットゥータと鄭和

四日市 康博

　以前，イランのペルシア湾キャラバンルートの調査に出かけた際，ホンジュという町でかのイブン・バットゥータも記録を残している聖ダーニヤール修道院跡を訪れた（図1）。ペルシア湾のホルムズ王国の王が資本を出して建てられたもので，王の名を含む刻文も残っている。当時のホルムズは中国との貿易を半ば独占的におこなっており，ここでもいくつかの中国陶磁片を見つけることができた（図2）。ちょうどイブン・バットゥータが訪れてから，鄭和に率いられた船団がインド洋を横断してホルムズに達した頃までの時代である。東西を代表する二人の渡海者の接点を垣間見た思いがした。

図1　イラン，ホンジュの聖ダーニヤール修道院（著者撮影）　遺跡に残るホルムズ王クトゥブッディーン・タハムタンの刻文を持つミナレット。

▎学知と信仰と移動のネットワーク

　古来，ユーラシア大陸とインド洋世界を舞台として，東西の人々が移動
と交流を繰り返してきたが，それが極大化した時代のひとつとして13～
14世紀が挙げられる。その要因のひとつには，モンゴル帝国が覇権を確立
したことがあるが，それだけでなく，人々の学知と信仰のネットワークが
移動のネットワークとして機能していた。本項ではこの時代を代表する渡
海者として，イブン・バットゥータ（1304～1368/69/77）と鄭和（1371～
1434？）という二人の人物を取り上げるが，彼らはまた，東西ユーラシア
を往来した人々のほんの一部に過ぎない。彼らに共通するのは，いずれも
学知と信仰への欲求を背景として，それを求める多くの人々によって構築
された移動のネットワークに乗る形で長距離移動を果たした点である。

　学知と信仰に基づく移動のネットワークとはどのようなものであろうか。
それは，イブン・バットゥータの旅行記（リフラ）を読めば，一目瞭然であ
る。イブン・バットゥータの旅立ちの動機はメッカに大巡礼（ハッジ）をお
こなうことであったが，メッカで多くのウラマー（学識者）から教えを受け
たイブン・バットゥータはさらに多くの学知を得るため，世界各地でウラ

図2　イラン，ホルムズ旧王都遺跡群のK103遺跡（著者撮影）　地表には大量の中
国陶磁片が散布し，そのほとんどは元代のものである。

マーやスーフィー（修験者），ワリー（聖者）たちから教えを受けてまわった。同時に各地でその法学者としての知見を求められ，時にはザーウィヤ（修道院）に迎え入れられ，時には支配者に召し抱えられ，というように，往く先々で不自由なく旅を続けることができたのである。イブン・バットゥータ以外にも同様のウラマーやスーフィーが数多くいたことは言うまでもない。

　これはなにもイスラーム教だけに特有の現象ではないし，また，聖職者だけが享受できた特権でもなかった。一般の旅人や巡礼者，商人なども宗教施設に寄宿することが可能であったし，水や食糧の補給もできた。仏教でもキリスト教でも，寺院や教会，修道院が移動する人々のネットワーク・ハブとなっていた。日本の宿の起源が寺院の宿坊であることなどは，その典型的な事例であろう。ただし，イブン・バットゥータの法学者としての高い知見が移動の上でより優遇される要因となったことは事実である。すなわち，学知と信仰を共有することで，移動がより容易なものとなったのである。

モンゴル・インパクトとは

　以上のような社会的な背景に加えて，政治権力が人々の移動に与えた影響も無視できない。有名なのは，ローマ帝国になぞらえて「パクス・モンゴリカ」（モンゴルの平和）と呼ばれるユーラシア規模の東西交通の安定であるが，これは平和と言ってもユーラシアから戦争が無くなったという意味ではなく，あくまでも交通が比較的安定したという程度の意味合いである。それまでユーラシアに割拠していた大小様々な国家が一時的とはいえモンゴル帝国の支配下に収まったことの意味は大きかった。漢人，ウイグル（テュルク），ムスリムの知識人や文人たちはモンゴル政権の中枢にまで入り込み，四つに分立したモンゴル政権のそれぞれに拠点を持った。また，彼らが中央や地方の政権に入り込むことで官民共同の貿易や土地経営が促進されたが，さらに宗教教団も介入し，官民教の提携関係が形成された。

　例えば，イブン・バットゥータはモンゴルの重臣（アミール），イスラーム教団や商人の有力者から歓待を受け，各地で学知・信仰・移動のネットワークの拠点となっていた官民教のそれぞれと関係を持ちつつ移動をおこ

なっていた。このように見ると，イブン・バットゥータは中央・地方の政治権力と結び付いた地域社会コミュニティ（官民教の複合体）との関係を最大限に利用していたことがわかるが，これもまたモンゴル覇権を背景とするインパクトの一環であったと言える。この後取り上げる鄭和もモンゴル・インパクトと無関係ではない。鄭和の航海は馬歓の『瀛涯勝覧』をはじめ，いくつかの史料に記録されているが，そこには元朝期の海道情報が散見する。つまり，モンゴル時代に開拓された航海路と航行のノウハウが明代初期にも継承されていたのである。

ポスト・モンゴル帝国期のユーラシア・海域世界

　イブン・バットゥータは14世紀前半の人物であるが，鄭和はそれより少し後，14世紀後半から15世紀にかけての人物である。鄭和の祖先は元代に雲南に入植したムスリムであると言われる。鄭和自身もムスリムであり，明朝の宮廷に仕える太監（宦官の長官）であった。鄭和は永楽帝の勅命を受けて大船団を率いて西洋（南シナ海〜インド洋）を航海したことで知られる。鄭和の船団は中国から逃亡した海賊や朝貢国の敵対勢力と交戦したことも

図3　航海守護信仰の女神「媽祖」を祀る瀏河天妃宮（蘇州，太倉近郊。著者撮影）　元代の創建と言われ，もともと1431（宣徳6）年に撰された『通番事蹟記』があったことから，鄭和らが第7次の航海直前にここに参詣していたとみられる。

あるが，その主目的は明朝の皇帝の威光を海外諸国の隅々まで行き渡らせること，すなわち，明朝への朝貢を促すことであった。その意味では，日本で一般的に使用されている「鄭和の南海遠征」という言い方はあまり適切ではないかもしれない。『瀛涯勝覧』には艦隊が寄港した諸国の情報が記されているが，その中には各国の貿易品や特産品の情報も含まれており，海上商人も同行していたことが窺われる。イブン・バットゥータも訪れたホルムズ島（新ホルムズ）は鄭和船団の航行拠点のひとつとなっており，宋元代の中国陶磁片に加えて明代の青磁片・青花磁片も多数残されている。鄭和船団の航海は7次に及んだ。鄭和の航海は国家権力を背景とするものであったが，そこには航海に参加した人々の様々な思惑も交差していた。父がメッカ巡礼者を意味するハッジーの称号を持つ鄭和や，その周辺のムスリムにとっては，メッカへの大巡礼をおこなうことも航海の目的のひとつであったとされる。当然，往く先々では国家外交としての礼物（献呈品）の交換以外に，公私にわたる交易もおこなわれたことであろう。

　イブン・バットゥータと鄭和はいずれもムスリムであるが，海域世界を往来したのはムスリムだけではない。スリランカにあるコロンボ国立博物

図4　山頂に仏足寺があるセイロン島（スリランカ）のスリ・パーダ（著者撮影）　別名アダムス・ピーク（アダムの足跡）。あらゆる宗教の巡礼地となっていた。

館所蔵の，いわゆる「鄭和碑文」は漢文を主文とし，永楽帝がセイロンの仏寺の仏（仏世尊）に対して布施をおこなった記録である。これは，鄭和の航海に皇帝からの公式な任務として仏教的な要素が含まれていたことを意味している。また，スリランカでは現地でスリ・パーダ（シンハラ語で「聖なる足跡」）と呼ばれる聖山があり（図4），アダムスピークという別名が指すように，イスラーム世界・キリスト教世界ではアダムの足跡（一説に聖トーマスの足跡）があると信じられていた。マルコ・ポーロやイブン・バットゥータも同様の記述を残している。一方，東側の仏教世界では仏の足跡と見なされており，中国の歴代地理書，そして鄭和の航海を記録した『瀛涯勝覧』も仏足と伝えている。

　以上はあくまでも一例に過ぎないが，イブン・バットゥータの時代の学知・信仰と移動のネットワークは，モンゴルの覇権が崩壊し明朝やティムール朝など新たな覇権が各地に成立した鄭和の時代にもつながれていたのである。

■参考文献
イブン・バットゥータ，イブン・ジュザイイ（家島彦一訳注）『大旅行記1〜8』平凡社，1996〜2002
大隅晶子「コロンボ国立博物館所蔵の「鄭和碑文」について」『MUSEUM 東京国立博物館研究誌』551，1997
馬歓（小川博訳注）『中国人の南方見聞録 瀛涯勝覧』吉川弘文館，1998
家島彦一『イブン・バットゥータと境域への旅─『大旅行記』をめぐる新研究』名古屋大学出版会，2017

オスマン帝国のユダヤ教徒

宮武 志郎

　1492 年レコンキスタの終了直後，イベリア半島のスペインで「ユダヤ教徒追放令」が公布された。そのために，多数のユダヤ教徒がオスマン帝国を含む地中海周域に離散した。本項ではオスマン帝国のユダヤ教徒が 16 世紀の繁栄を謳歌した状況とその背景，そして 17 世紀に衰退してゆく経過を見ることによって，各地のユダヤ教徒が構築した「地域をつなぐ」ネットワークを考察する。

┃ イベリア半島のユダヤ教徒

　ローマ帝国との戦争で西暦 70 年にイェルサレム第二神殿が崩壊し，ユダヤ教徒のディアスポラが開始された。古代から中世へと時代を経ると，ユダヤ教徒が居住する主な地域はイベリア半島とドイツであった。そしてイベリア半島に居住するユダヤ教徒はセファルディーム，ドイツではアシュケナズィームと呼ばれるようになる。キリスト教徒による差別を受けることが多かったが，イベリア半島のユダヤ教徒に大きな転機が訪れた。711 年，ウマイヤ朝の進出と西ゴート王国の滅亡である。イスラーム教ではユダヤ教徒に対して寛容であったため，イベリア半島ではユダヤ教徒の人口も増加し繁栄への足がかりとなった。ウマイヤ朝，後ウマイヤ朝だけでなく，その後のターイファと呼ばれる分裂時代にあっても，ユダヤ教徒の経済，文化面での活躍は顕著であった。

　しかし，このようなユダヤ教徒の繁栄に影を落とす状況が訪れることになる。11 世紀後半から活発化するレコンキスタである。その過程で多数のユダヤ教徒がキリスト教国王の隷属民としてその支配下に組み込まれた。さらに，封建社会の衰退が始まったとされる 14 世紀になると，イベリア半

島でも諸相が変化してきた。ペストの流行やカスティーリャでの王位継承を巡る内乱をきっかけに社会不安が増大し，それが反ユダヤ教徒感情を高揚させたのであった。そして1391年にカスティーリャの都市セビーリャで発生した反ユダヤ教徒運動が半島規模で拡散した。これを機にユダヤ教徒に対する強制改宗も開始され，多数のユダヤ教徒がキリスト教に改宗した。改宗したユダヤ教徒は「コンベルソ」と呼ばれたが，その改宗の真偽が疑われ表面のみの改宗であると考えられた偽装改宗者は「マラーノ」と呼ばれた。そして改宗したコンベルソは未改宗のユダヤ教徒と同一地域に居住することも多く，キリスト教徒の疑念をさらに募らせることになった。このような状況下，1479年に成立したスペイン王国で，異端審問所が設立されコンベルソに対する追及が本格化した。そして，スペインのカトリック両王はコンベルソの真の改宗をより確かなものにするため，1492年3月31日に「ユダヤ教徒追放令」を公布したのである。これによって，数万人以上のユダヤ教徒がスペインを離れることになった。

ユダヤ教徒の繁栄

　1492年以降，多数のユダヤ教徒が地中海周域へ身命を賭して逃れていった。特に，隣国ポルトガル，またオスマン帝国領のイスタンブル，サロニカ（現テッサロニキ），アレクサンドリアなどにも移住した。特に，イスタンブルなどには既にユダヤ教徒のコミュニティーが存在し，スペインからのユダヤ教徒を受け容れたのである。ヤハウェ信仰という同胞意識でまさに「地域をつなぐ」現象が現れたと言っても良いであろう。帝都イスタンブルにはビザンツ帝国時代からグレゴスまたはロマニオー

図1　イスタンブルのユダヤ人／The S.P. Lohia Collection

トと呼ばれるユダヤ教徒がコミュニティーを形成していた。そこに多数の
セファルディームが流入しコミュニティーの新たな構成員となったのであ
る。
　その中に富商でオスマン朝宮廷にも深く関わったナスィ一族がいた。彼
らはスペインとポルトガル，そしてスペイン領のアントワープを拠点にし
て巨万の富を有する国際的商人であった。彼らは身の安全と商取引の利便
性のために，キリスト教に改宗したコンベルソで，キリスト教徒名を名乗
っていた。しかし，イスタンブルに移住した後に，ユダヤ教徒であること
を宣告しているので，それ以前は偽装改宗者であるマラーノだったのであ
る。ナスィ一族は16世紀の半ばにイスタンブルに移住した後も，地中海世
界，ヨーロッパ各地に支店を設置しエージェントを駐在させ，強力な情報・
商業ネットワークを維持していた。そのネットワークを支えていたのが，
宗教的迫害からナスィ一族の支援で救われたユダヤ教徒やマラーノであっ
た。彼らは迫害という危機的状況の中で，自分たちを救ってくれたナスィ
一族に対し，強い絆を共有したエージェントとなったのである。各地のエ
ージェントは商取引だけでなく，各国の政治情勢をも含む多岐にわたる情
報をナスィ一族にもたらし，ナスィ一族はそれをオスマン朝当局に伝える

図2　グラツィア・ナスィ（1510～1569）　元マラーノでナス
ィ一族の女性当主。各地のマラーノやユダヤ教徒を利用し，巨大ネット
ワークを形成し，オスマン帝国のユダヤ教徒黄金時代を築いた。イスラ
エルの切手より。／Alamy

ことで，高い信頼を得て宮廷に接近したのであった。このナスィ一族に見られるように，16世紀オスマン帝国のユダヤ教徒はまさに黄金時代を築いたのである。ただし，ナスィ一族がかつて表面的なものであるにせよ，ヤハウェ信仰を棄てたマラーノであったことに不満を示すユダヤ教徒もいた。また，イスタンブルのユダヤ教徒コミュニティーの繁栄に反発したサロニカのコミュニティーの存在も忘れてはならない。ユダヤ教徒間で見られた連帯も様々な矛盾を内包していたのである。

混乱と衰退

オスマン帝国は17世紀になると，停滞期に入ったとされる。中央では宮廷内での権力構造の変化に伴う政治的混乱，地方ではティマール制の崩壊や徴税請負制の拡大に伴う治安の悪化が見られるようになった。時期を同じくして，ユダヤ教徒コミュニティーにも変化が訪れる。15・16世紀には，ヨーロッパから避難してきたユダヤ教徒がオスマン帝国各都市のユダヤ教徒コミュニティーに多くの人材を供給し，新たな情報や技術をもたらしていたが，17世紀以降になるとその流れが先細りしてきた。さらに「17世紀の危機」と呼ばれる時代にあって，オスマン帝国もその弊害から逃れることはできず，ペストなどの疫病が宗教に関係なく人々の命を奪った。また，16世紀にスルタンが友好国に付与していたカピチュレーション（恩恵的特権）が，17世紀になると外国の領事の保護を受けて外国商人の特権へと変化し，ユダヤ教徒商人の経済活動の大きな障害になりつつあった。

このような社会的混乱と経済的衰退にあって，精神面でも大きな変化が見られた。16世紀には帝国外からもたらされたヨーロッパ文化の刺激が途絶し始めたのである。17世紀に西ヨーロッパが合理主義と科学革命の時代を迎えていたのに相反し，オスマン帝国のユダヤ教徒の間ではカバラーとメシア運動という二つの衝撃が，彼らの心に無知と迷信を蔓延させた。カバラーとはユダヤ教の神秘思想であり，12世紀頃に南フランスのプロバンス地方に誕生したとされ，16世紀にガリラヤ地方のツファト（サフェド）で大衆の間に受容され大きく発展し，同時にメシア待望論を惹起させた。

そして17世紀の危機の最中に，メシアを自称するシャブタイ・ツヴィ

図3　シャブタイ・ツヴィ

（1626〜1676）という人物が出現した。ツヴィは自らメシアであることを
宣言し，その情報はユダヤ教徒，特にかつてマラーノであったポルトガル
系ユダヤ教徒商人によって，西ヨーロッパのユダヤ教徒に拡散された。また，
17世紀半ばに現在のポーランドやウクライナで発生したコサックの反乱に
よる虐殺から生き残ったアシュケナズィームからも，熱狂的な支持を得る
ようになった。17世紀の危機の中にあって，カバラーとメシア運動が地中
海周域から東ヨーロッパにまで拡散したのは，まさにアシュケナズィーム
やセファルディームの枠を越えた「地域をつなぐ」ネットワークが存在し
ていたからに他ならない。しかし，その後ツヴィはオスマン当局に逮捕さ
れたため，メシアであることを否定し，さらにユダヤ教を棄てムスリムに
改宗した。ツヴィの棄教は彼を信じたユダヤ教徒に多大な衝撃を与え，そ
れはオスマン帝国領にとどまらず，東ヨーロッパにまで及んだ。その後，
ユダヤ教徒コミュニティーはカバラーへの対処とメシア運動の混乱収拾の
ため，宗教的規制を厳格に行った結果，人々の自由な活動は大きく制限され，
ユダヤ教徒はまさに無知と暗黒の世界に入り込んでしまった。

　イベリア半島から移住したセファルディームは，オスマン帝国の庇護の下，ヨーロッパ各地で形成したユダヤ教徒とマラーノのネットワークを利用して繁栄の16世紀を形成した。しかし，17世紀になるとそのネットワークを通じて，カバラーとメシア運動が広く拡散し，オスマン帝国のユダヤ教徒コミュニティーに混乱と衰退をもたらした。「地域をつなぐ」このネットワークはまさに諸刃の剣だったのである。

■参考文献
市川裕『図説　ユダヤ教の歴史』河出書房新社，2015
小笠原弘幸『オスマン帝国』中公新書，2018
関哲行『世界史リブレット59　スペインのユダヤ人』山川出版社，2003

おわりに

　2019年夏頃，歴史の読みもの「発見　日本の中に世界を見る」という2巻本のアイディアを清水書院編集部に提示した。世紀ごとに，日本の史実の中に世界につながる話を入れた本の構想であったと記憶する。

　担当となった編集部の佐野さんとのやり取りの後，「つなぐ世界史」3巻本という形に落ち着き，井野瀬久美惠（甲南大学）・岩下哲典（東洋大学）・岡美穂子（東京大学）の三先生と私とでそれぞれの人脈を駆使し，各執筆者に依頼して執筆していただいた。

　中には，「何を書けばよいのかわからない」「原稿の締め切りはいつなのか，間に合わせるのが難しい」という声も聞かれたが，井野瀬，岩下，岡の三先生が粘り強く交渉にあたってくださったおかげで，多くの執筆者から期限内に原稿をいただき，編集はスムーズに進行したし，佐野さんには3巻すべてを担当していただき，本当にありがたかった。

　巷では，昨今，日本史と世界史の並列年表や日本史と世界史をまとめた書籍などが見られるようになったが，いずれも概略を述べるだけで，日本と世界をつないでいるとはなかなか実感できなかった。それは，ひとえに，石見銀山のような世界史につながる日本列島各地の歴史が含まれていないためと思われる。

　本書の最大の魅力は，地域の歴史を組み込むことで，自分たちの身近な地域にも世界につながる史実があるかもしれないと考えていただけることにある。また，グローバルな世界史においても，地域と地域をつなぐ興味深い史実を見ることで，世界のどこでも「つなぐ世界史」は可能であるということにも気づいていただきたいと考えた。

　3巻本の最初の1巻は，古代・中世の日本列島各地が世界とつながっていることを明らかにする内容になっている。「上総の『望陀布』」や「古代の秋田城」から見えるものは，見落としがちな史実を掘り起こし，世界とつながる史実に気づかせてくれるものであるし，「武士と騎士」の話は，それぞれ別ものとして語られ，違うものと思われてきた概念を中心にして新たな解釈をしたものであり，新しい歴史教育の在り方さえも示唆するものとなっている。

　こうした多岐にわたる内容を一書に完成させたのは第1巻の責任編集者である岡美穂子先生と編集部の佐野理恵子氏である。二人には完成に至るまで，随分とたいへんな思いをさせてしまったと思う。改めてお詫びし，心から感謝したい。

　後続する第2巻は，世界が一体化し，日本もその渦の中に巻き込まれながら，統一を果たしていく時代を扱っている。続けてお読みいただきたいと願う。

　2023 年 3 月

編集委員代表　藤村泰夫

編者・執筆者紹介　　◎は本巻責任編集者，○は編集委員

◎岡　美穂子（おか　みほこ）

　1974 年生まれ。東京大学史料編纂所（大学院情報学環兼任）准教授。専門は
16・17 世紀の日本史と海域アジア史。

　主な著作は『商人と宣教師　南蛮貿易の世界』（東京大学出版会），『大航海時代
の日本人奴隷』（共著，中央公論新社），*The Namban Trade*（BRILL）など。

○井野瀬　久美惠（いのせ　くみえ）

　1958 年生まれ。甲南大学文学部教授。専門はイギリス近代史・大英帝国史。サ
ントリー文化財団理事。

　主な著作は『大英帝国はミュージックホールから』（朝日選書），『子どもたちの
大英帝国』（中公新書），『植民地経験のゆくえ』（人文書院），『大英帝国という経験』
（講談社），『イギリス文化史』（編著，昭和堂）など。

○岩下　哲典（いわした　てつのり）

　1962 年生まれ。東洋大学文学部教授。専門は日本近世・近代史。

　主な著作は『江戸の海外情報ネットワーク』（吉川弘文館），『「文明開化」と江
戸の残像』（ミネルヴァ書房），『江戸無血開城の史料学』（吉川弘文館），『見る・
知る・考える　明治日本の産業革命遺産』（勉誠出版）など。

○藤村　泰夫（ふじむら　やすお）

　1960 年生まれ。山口県立西京高等学校教諭。日本列島各地と世界を結ぶ史実の
教材化を提唱している。「地域から考える世界史」プロジェクト代表。

　主な著作は『地域から考える世界史　日本と世界を結ぶ』（編著，勉誠出版），『見
る・知る・考える　明治日本の産業革命遺産　日本と世界をつなぐ世界遺産』（編著，
勉誠出版），『世界史から見た日本の歴史 38 話』（共著，文英堂）など。

執筆者（50 音順）

　粟屋　祐作（あわや　ゆうさく）

　山口県立山口高等学校教諭。専門はイギリス近現代史，馬事文化史。

　池田　榮史（いけだ　よしふみ）

　國學院大學研究開発推進機構教授。専門は考古学・博物館学。

諫早　庸一（いさはや　よういち）
北海道大学スラブ・ユーラシア研究センター助教。専門はモンゴル帝国史。

磯　寿人（いそ　としひと）
栃木県立鹿沼東高等学校非常勤講師。主な担当科目は世界史。

市川　裕（いちかわ　ひろし）
東京大学名誉教授。専門は宗教史学，ユダヤ教。

伊藤　幸司（いとう　こうじ）
九州大学大学院比較社会文化研究院教授。専門は日本中世史・東アジア交流史。

稲田　奈津子（いなだ　なつこ）
東京大学史料編纂所准教授。専門は日本古代史。

榎本　渉（えのもと　わたる）
国際日本文化研究センター准教授。専門は日本中世国際交流史。

岡田　康博（おかだ　やすひろ）
三内丸山遺跡センター所長。専門は日本考古学・縄文文化。

小澤　実（おざわ　みのる）
立教大学文学部教授。専門は西洋中世史・北欧史・史学史。

海邉　博史（かいべ　ひろし）
堺市博物館学芸員。専門は日本考古学。

鹿毛　敏夫（かげ　としお）
名古屋学院大学国際文化学部教授。専門は日本中世史。

久留島　典子（くるしま　のりこ）
神奈川大学国際日本学部教授。専門は日本中世史。

櫻井　康人（さくらい　やすと）
東北学院大学文学部教授。専門は十字軍史・十字軍国家史。

篠塚　明彦（しのづか　あきひこ）
筑波大学附属学校教育局教授。専門は世界史教育。

妹尾　達彦（せお　たつひこ）
中央大学文学部教授。専門は東アジア都市史。

関　周一（せき　しゅういち）
宮崎大学教育学部教授。専門は日本中世史・海域アジア史。

高橋　慎一朗（たかはし　しんいちろう）
東京大学史料編纂所教授。専門は日本中世史。

仲田　公輔（なかだ　こうすけ）
岡山大学学術研究院社会文化科学学域講師。専門はビザンツ史，ビザンツ＝アルメニア関係史。

中村　和之（なかむら　かずゆき）
函館大学商学部教授。専門はアイヌ史，北東アジア史。

南雲　泰輔（なぐも　たいすけ）
山口大学人文学部准教授。専門は西洋古代・中世史。

橋爪　烈（はしづめ　れつ）
千葉科学大学危機管理学部講師。専門はアラブ・イスラーム史。

廣川　みどり（ひろかわ　みどり）
千葉県立袖ヶ浦高等学校教諭。主な担当科目は世界史。

福本　淳（ふくもと　じゅん）
栄光学園中学・高等学校教諭。主な担当科目は世界史。

藤井 崇（ふじい　たかし）
京都大学大学院文学研究科准教授。専門は西洋古代史。

古澤 義久（ふるさわ　よしひさ）
福岡大学人文学部准教授。専門は東北アジア先史文化・中国貨幣史。

三浦 徹（みうら　とおる）
お茶の水女子大学名誉教授。専門はアラブ・イスラーム史。

宮武 志郎（みやたけ　しろう）
元普連土学園教諭。専門はオスマン帝国史。

向 正樹（むかい　まさき）
同志社大学グローバル地域文化学部准教授。専門はモンゴル時代海域アジア史。

村木 二郎（むらき　じろう）
国立歴史民俗博物館准教授。専門は中世考古学。

桃﨑 祐輔（ももさき　ゆうすけ）
福岡大学人文学部教授。専門は日本古墳時代・中世，ユーラシア騎馬文化。

矢田 尚子（やた　なおこ）
東北大学文学研究科教授。専門は中国古典文学。

山元 研二（やまもと　けんじ）
北海道教育大学釧路校准教授。専門は社会科教育（歴史教育）。

四日市 康博（よっかいち　やすひろ）
立教大学文学部准教授。専門はモンゴル帝国史，ユーラシア交流史，海域交流史。

編集委員────井野瀬 久美惠
　　　　　　岩下 哲典
　　　　　　岡 美穂子
　　　　　　藤村 泰夫

イラスト：岡本祐子

つなぐ世界史　1　古代・中世

定価はカバーに表示

2023年 3 月 31 日　　初 版　第 1 刷発行

責任編集　　岡　美穂子
発行者　　　野村　久一郎
印刷所　　　法規書籍印刷株式会社
発行所　　　株式会社　清水書院
　　　　　　〒102－0072
　　　　　　東京都千代田区飯田橋3－11－6
　　　　　　電話　03－5213－7151㈹
　　　　　　FAX　03－5213－7160
　　　　　　https://www.shimizushoin.co.jp